Linda Hoos • Top-Management

Linda Hoos

Top-Management

Roman

CORNELIA GOETHE
LITERATURVERLAG
IM GROSSEN HIRSCHGRABEN ZU
FRANKFURT A/M

Das Programm des Verlages widmet sich
aus seiner historischen Verpflichtung heraus
der Literatur neuer Autoren.
Das Lektorat nimmt daher Manuskripte an,
um deren Einsendung das gebildete Publikum
gebeten wird.

Ein Imprintverlag des Frankfurter Literaturverlags GmbH
Ein Unternehmen der Holding
FRANKFURTER VERLAGSGRUPPE
AKTIENGESELLSCHAFT AUGUST VON GOETHE
In der Straße des Goethehauses/Großer Hirschgraben 15
D-60311 Frankfurt a/M
Tel. 069-40-894-0 ❋ Fax 069-40-894-194

www.frankfurter-literaturverlag.de
www.august-goethe-verlag.de
www.haensel-hohenhausen.de
www.fouque-verlag.de
www.ixlibris.de

Bibliografische Information Der Deutschen Bibliothek
Die Deutsche Bibliothek verzeichnet diese Publikation in der Deutschen Nationalbibliografie; detaillierte bibliografische Daten sind im Internet über http://dnb.ddb.de abrufbar.

Satz und Lektorat: Dr. Robert Meyer
ISBN 3-86548-523-5
ISBN 978-3-86548-523-6
ISBN 1-84698-121-2
ISBN 978-1-84698-121-0

Die Autoren des Verlags unterstützen das Albert-Schweitzer-Kinderdorf in Hessen e.V., das verlassenen Kindern ein Zuhause gibt.
Wenn Sie sich als Leser an dieser Förderung beteiligen möchten, überweisen Sie bitte einen – auch gern geringen – Beitrag an die Sparkasse Hanau, Kto. 19380, BLZ 506 500 23, mit dem Stichwort „Literatur verbindet“. Die Autoren und der Verlag danken Ihnen dafür!

Printed in Germany

Ob es solche Unternehmen (und Manager) gab und gibt?
Ähnlichkeiten wären jedenfalls rein zufällig ...

Man schreibt das Jahr 1975. Am Schwarzen Brett hängt ein neuer Aushang. Es muss etwas Besonderes sein, denn eine größere Gruppe Mitarbeiter hat sich davor versammelt und spricht eifrig miteinander. Das ist ungewöhnlich – besonders vormittags um 11 Uhr, zu einer Zeit, wo eigentlich jedermann an seinem Arbeitsplatz sein sollte.

Petra Müller bleibt kurz stehen und stellt sich auf die Zehenspitzen, um auch etwas lesen zu können. Aber die breiten Rücken vor ihr versperren ihr die Sicht. Sie ist eine kleine, rundliche Person, noch sehr jung, mit langen, blond gebleichten Haaren, stets Kaugummi kauend und – wie ihr Chef, Herr Ladewig, oftmals bemerkt –, „nicht von der schnellen Truppe." – Aber warum sollte sich Petra auch beeilen? Ihr persönlich ist es eigentlich piepegal, wann die verschiedenen Herrschaften ihre Post bekommen, wie ihr sowieso alles egal ist, was im Hause der „Feinkostwerke Fritz Baumann GmbH" passiert. Sie kommt morgens meist auf den letzten Pfiff, denn sie schläft in der Frühe am besten und das Aufstehen fällt ihr schwer, verbringt ihre acht Stunden in diesem Betrieb, tut, was man ihr sagt – auf keinen Fall mehr, und ist täglich froh, wenn sie diesem Haus wieder den Rükken kehren kann. Meist steht sie, fertig gekleidet mit ihrer grellroten Jacke, den superengen Hosen und ihrer weißen Umhängetasche, schon zehn Minuten vor Schluss in Stechuhrnähe und wartet darauf, dass es endlich zum Feierabend läutet. Aber dabei ist sie nicht die einzige.

Wenn Herr Ladewig immer wieder betont, dass Petra nicht „von der schnellen Truppe" ist, dann meint er damit nicht nur, dass sie langsam arbeitet, sondern auch, dass sie ziemlich lange braucht, bis sie etwas begreift. Aber warum sollte sich Petra anstrengen, Dinge zu begreifen, die sie im Grunde überhaupt nicht interessieren? Es gibt anderes, was sie im Kopf haben muss – beispielsweise die Namen von Schlagerstars und sämtliche Song-Titel. Und da kennt sie sich bestens aus. Außerdem muss sie natürlich wissen, welcher Fußballverein in der Liga an der Spitze steht und welcher ganz unten, denn ihr Freund ist Fußballfan und ihm zuliebe interessiert sie sich auch für Fußball. Für die Liebe muss man schließlich Opfer bringen, nicht aber fürs Geschäft.

Sie weiß jetzt beispielsweise genau, dass sie die verschiedenen Mappen, die sie unterm Arm trägt, in die einzelnen Büros bringen muss. Die rote zur Geschäftsleitung, die blaue zum kaufmännischen Direktor, die grüne zum Verkauf, die gelbe zum Einkauf, und so weiter. Sie weiß auch, dass diese Postmappen bis spätestens 10 Uhr abgeliefert sein sollen und dass sie heute reichlich spät dran ist. Aber das ist ihr eben ziemlich egal. Und wenn sie sich jetzt von der Gruppe vor dem Schwarzen Brett wieder abwendet, dann nicht, weil sie sich beeilen will, sondern weil es doch recht unbequem ist, mit den vielen Mappen herumzustehen. Außerdem kommt sie ja ohnehin nicht vor bis zum Aushang, der wohl irgendwas mit den Amerikanern zu tun hat, die schon mehrmals im Betrieb waren und in allen Ecken herumschnüffelten. So viel hat sie jedenfalls aus den Gesprächen herausgehört.
Die Amerikaner waren zumeist ältere Herren gewesen, und der Chef, der alte Herr Baumann, ging persönlich überallhin mit und wirkte kolossal eifrig. Hinterher hieß es dann, er sei entsetzlich nervös und geradezu unterwürfig gewesen. Und weil er, wie man im Hause munkelt, kein Englisch kann, war außerdem noch Dr. Mertens, der kaufmännische Direktor, mitgegangen, um zu dolmetschen.

Während Petra nun die Treppe hochsteigt, fällt ihr ein, dass sie wegen des Aushangs ja auch Babsi fragen könnte. Babsi weiß ganz sicherlich Bescheid. Vielleicht hat sie den Aushang sogar selbst geschrieben. Alle Aushänge werden im Sekretariat der Geschäftsleitung geschrieben, und Babsi ist dort zweite Kraft. Außerdem ist sie sehr nett. Petra Müller und Barbara Hollmann kennen sich von früher. Sie sind zusammen in die Grundschule gegangen. Später allerdings hatten sich ihre Wege getrennt. Während Babsi in die Realschule und später auf die höhere Handelsschule gegangen war, hatte Petra mit einiger Mühe den Hauptschulabschluss geschafft und dann eine Lehre in einem Friseursalon begonnen. Friseuse hatte sie einmal werden wollen – du lieber Himmel, was für ein unbequemer, widerlicher Beruf! Den ganzen Tag stehen, Waschbecken scheuern, Haare aufkehren und zugucken, wie die älteren Friseusen mit unmöglicher Schnelligkeit einen ganzen Kopf voller Wickel rollten – und man erwartete von ihr, dass sie das einmal genau so schnell machen sollte! Überhaupt war sie in diesem Frisierladen furchtbar schikaniert und herumgejagt worden. Deshalb hatte sie nach einem knappen Jahr die Ausbildung abgebrochen. Nach einer scheußlichen Übergangszeit mit viel Lauferei zum Arbeitsamt, Krach zuhause und Langeweile hatte sie schließlich die Anstellung als Laufmädchen in der Firma Feinkostwerke Fritz Baumann GmbH gefunden, und hier hatte sie Babsi im Geschäftsleitungssekretariat wieder getroffen.

Die Räume der Geschäftsleitung sind im ersten Obergeschoss, gleich rechts neben der Treppe. Dieser Bereich wird im Haus auch „Teppichabteilung“ genannt, denn hier endet der kalte, stets glänzende Kunststoff-Fußboden, und man wandelt lautlos auf weichen Teppichen.
Petra stellt mit Enttäuschung fest, dass Babsi nicht an ihrem Platz ist. Nur das ältliche Fräulein Treutel, die erste Sekretärin, tippt gerade etwas in die Schreibmaschine, blickt aber sofort auf und reißt Petra die rote Mappe förmlich aus der Hand.
„Na endlich! Wie oft soll ich noch sagen, dass die Post spätestens um 10 Uhr hier sein muss? Es ist bereits 11 Uhr vorbei!“

Petra zuckt gleichmütig die Achseln. „Was kann ich dafür, dass Herr Ladewig nicht eher fertig geworden ist“, erwidert sie und hat damit gar nicht so Unrecht, denn es obliegt Herrn Ladewig ganz allein, die gesamte Post zu öffnen und in die verschiedenen bunten Mappen zu verteilen. Nur Fräulein Hollerweis, das mit in der Registratur arbeitet, darf ihm bisweilen dabei helfen. Aber die ist gerade in Urlaub. Petra hat nur die Aufgabe, die gefüllten Mappen in die einzelnen Abteilungen zu bringen. Es ist ihr sogar streng verboten, in die Mappen hineinzuschauen und die einzelnen Schriftstücke zu lesen. Aber das würde sie sowieso nicht tun, denn Geschäftsbriefe sind meistens furchtbar langweilig und verstehen kann man sie ohnedies nicht.
„Vergessen Sie jetzt wenigstens nicht, die Hauspost mitzunehmen“, sagt Fräulein Treutel und deutet auf einige braune Hauspostumschläge, die in einem Körbchen liegen. Dann öffnet sie die rote Mappe und beginnt mit fahrigen Bewegungen die Post durchzusehen.
Sie ist eine hagere Person von 49 Jahren, mit einer etwas zu großen Nase im strengen Vogelgesicht, hervorquellenden Augen und dunklem Haar, das straff zurückgekämmt und zu einem Knoten geschlungen ist. Man sagt, dass sie schon seit über 25 Jahren die Sekretärin des Seniorchefs sei.

Weil Petra immer noch herumsteht, blickt sie auf und fragt scharf: „Ist noch etwas?“
Bevor Petra etwas sagen kann, wird die Tür zum Nebenraum aufgerissen, der Juniorchef Udo Baumann kommt herein und fragt, was auch sie gerade hatte fragen wollen: „Wo ist Babsi?“
Lotte Treutel lächelt säuerlich.
„Ich weiß nicht, wo Fräulein Hollmann schon seit einer Viertelstunde steckt. Vielleicht kann Ihnen Fräulein Müller Auskunft geben!“

Udo Baumann hat inzwischen die kleine Petra Müller erspäht. „Hallo, Petra", grüßt er lässig und etwas gönnerhaft, wendet sich dann aber gleich wieder ab, denn dieses kleine, dickliche und etwas unbedarfte Mädchen interessiert ihn kaum.
„Wenn Babsi kommt, schicken Sie sie gleich zu mir", sagt er zu Fräulein Treutel, „sie muss an dem Brief von heute früh noch etwas ändern, und das ist sehr eilig."

Damit verlässt er wieder den Raum. Petra aber ist puterrot geworden. „Hallo, Petra" hat er gesagt – das ist schon sehr viel für sie. Sie ist so verwirrt, dass sie natürlich vergisst, die Hauspost mitzunehmen, als sie den Raum verlässt.
Alle jungen und die meisten älteren Damen im Hause schwärmen für den Sohn des alten Chefs. Udo Baumann ist auch wirklich ein sehr gut aussehender Mann, weshalb man hinter seinem Rücken auch allgemein vom „schönen Udo" spricht. Er ist groß, blond, braungebrannt, und trägt meist sportliche, helle Kleidung. Er wirkt eigentlich immer so, als käme er gerade vom Tennisplatz, und das ist auch einer der Orte, an denen er sich am liebsten aufhält.
Udo Baumann hat mit Petra sogar einiges gemeinsam, aber das weiß sie natürlich nicht. Er empfindet beispielsweise den Aufenthalt in diesem Betrieb meistens als genauso lästig und uninteressant wie Petra und er hat – genau wie sie – schon einmal eine Ausbildung abgebrochen. Das ist allerdings etliche Jahre her. Der alte Baumann hatte damals geglaubt, es müsse für das Unternehmen sehr vorteilhaft sein, wenn sein einziger Sohn und Erbe sozusagen „von der Pike auf" lernen würde. Und weil in einem Feinkostwerk die Kochkunst das Allerwichtigste sein sollte, steckte er Udo in eine Kochlehre. Küchenmeister sollte er einmal werden, um später das Unternehmen noch viel fachmännischer als sein Vater, der nur ein Kaufmann mit kulinarischen Ambitionen war, leiten zu können.

So hatte Sohn Udo in der Küche eines großen, erstklassigen Hotels eine Ausbildung begonnen, und obwohl man dort dem Vater gern gefällig sein wollte und deshalb dem uninteressierten und nachlässigen Lehrling vieles nachsah, was man bei anderen nicht geduldet hätte, packte Udo nach einem knappen Jahr seine Siebensachen und lief auf und davon. Die zweite Lehre, eine kaufmännische Ausbildung in einem Handelsunternehmen, absolvierte er dann ohne viel Engagement. Danach überzeugte er seinen Vater davon, dass es für das Unternehmen wohl nicht minder nützlich wäre, wenn er durch ein Jurastudium zum Rechtsgelehrten werde. So verbrachte Udo dann einige Studienjahre in einer Universitätsstadt, hängte jedoch eines Tages das inzwischen lästig gewordene Studium an den Nagel und kehrte als Juniorchef zurück in das väterliche Unternehmen.
Niemand außer dem Senior weiß im Unternehmen, dass der schöne Udo sein Studium nicht abgeschlossen hat. Hier gilt er als der Rechtsexperte und als rechte Hand des alternden Vaters, und weil Udo nicht nur schön und charmant, sondern auch durchaus selbstbewusst und berechnend ist, werden seine unternehmerischen Fähigkeiten allseits anerkannt. Er nennt sich „Personalreferent" und „Rechtsberater", kommt meist erst spät ins Haus – weil er, genau wie Petra Müller, früh gerne gut und lange schläft – und verlässt es beizeiten, um zum Tennisplatz oder zum Reitstall zu gehen. Er fährt ein flottes Auto – natürlich auf Firmenkosten – , und niemand neidet es ihm, denn schließlich ist er ja der Sohn vom alten Chef.

Dumm ist Udo Baumann jedoch nicht, und es ist ihm in den vergangenen Monaten keineswegs entgangen, dass die Geschäfte schlecht gehen, der Umsatz sinkt und die Konkurrenz wächst.
Stunden-, ja nächtelang hatte sein alter Herr mit seinen Beratern über die Lage konferiert – wohlgemerkt mit seinen

echten Beratern, denn wenn es um ernstliche Probleme geht, zieht der Senior immer noch die wirklichen Experten dem juristisch angehauchten Sohn vor. Die Ergebnisse dieser Beratungen liefen schließlich alle auf einen Punkt hinaus: Ein kleines, mittelständisches Unternehmen zu halten ist in der heutigen Zeit nicht mehr gewinnbringend. Ein solches Unternehmen braucht zum gesunden Weiterleben eine starke Mutter, eine kluge und reiche Mutter, die es an die Hand nimmt und es zusammen mit seinen „Schwestern" zu neuer Größe erblühen lässt. Und die besten und tüchtigsten Mütter, meinten die Unternehmensberater einstimmig, seien amerikanische Konzerne. Zudem zahlten sie gut für ein hübsches Unternehmen mit passablen Gebäuden und begehrten Produkten. Sie seien auch an den Menschen darin interessiert, sofern sie sie brauchen könnten. Aber über Letzteres müsse sich der Senior nicht unbedingt den Kopf zerbrechen. Für ihn, so meinten die Unternehmensberater, sei es vor allem wichtig, dass selbst nach Bezahlung aller Verbindlichkeiten – und der „Beratungsrechnung" – ein hübsches Sümmchen übrig bleibe, das ihm ein Leben im luxuriösen Ruhestand erlaube.
Und auch für den guten Udo wäre bestens gesorgt. Der könne zunächst noch im Unternehmen bleiben, denn für den Ruhestand sei er ja noch zu jung. Sorgen müsse er sich gewiss keine machen. Demnächst wollte Udo für einige Zeit nach England reisen, um in einem exklusiven Sprachkursus seine Englischkenntnisse zu erweitern. Denn, so meinte er, man sollte sich doch wenigstens mit den Amerikanern verständigen können, wenn sie hier ihren Einzug hielten. Und damit hatte er sicherlich Recht.

Petra Müller geht vom Geschäftsleitungssekretariat aus quer über den teppichbelegten Gang und öffnet die Tür zum Sekretariat des kaufmännischen Direktors. Mit unbewegtem

Gesicht nimmt Angelika Ostendorf, die Sekretärin, die blaue Postmappe entgegen.
„Es ist ein Einschreiben für Herrn Dr. Mertens dabei“, sagt Petra Kaugummi kauend.
Wortlos nimmt Fräulein Ostendorf das Einschreibebuch, bestätigt den Empfang mit ihrem Handzeichen und reicht es Petra zurück. Dann fasst sie mit schnellem Griff in das Hauspostkörbchen und legt die braunen Umschläge vor Petra auf den Tisch. Petra kocht innerlich, während sie ihren Weg nun fortsetzt. Diese eingebildete Ziege dünkt sich zu vornehm, auch nur ein Wort mit ihr, dem Laufmädchen, zu sprechen! Dabei ist sie kaum älter als sie, allerdings verdammt hübsch: schmal und feingliedrig, mit langen, dunklen Locken und großen, ausdrucksvollen Augen. Aber sie ist immer unnahbar und wirkt kalt wie ein Eisberg.
Wie anders ist da doch Barbara Hollmann, ihre frühere Mitschülerin Babsi! Die ist schließlich auch nicht hässlich, hat eine klasse Figur und krauses, rotbraunes Haar. Die paar Sommersprossen im Gesicht stören überhaupt nicht. Und vor allem ist Babsi sehr nett. Sie spricht immer mit Petra und ist gar nicht hochnäsig ...
Petra erreicht das nächste Büro innerhalb der „Teppichabteilung.“ Der Schreibtisch von Frau Schubert ist nicht besetzt – man hört durch die offene Tür, dass Verkaufsleiter Arthur König der Sekretärin gerade etwas diktiert. Er geht dabei hin und her und erscheint jetzt, nervös blickend, im Türrahmen, um nachzusehen, wer da hereingekommen ist und stört.
„Ist das die erste oder die zweite Post?“ fragt er und blickt auf die Uhr.
„Die erste“, antwortet Petra und legt die grüne Mappe auf Frau Schuberts Schreibtisch. Herr König rückt seine Brille zurecht und mustert Petra, als ob er sie noch nie gesehen hätte.
„Die erste?!! Wieso die erste und nicht die zweite?!“

„Weil die zweite erst nachher kommt!“ sagt Petra, ergreift eilends die Hauspostumschläge und verlässt fluchtartig den Raum.
Dieser König ist ein ekelhafter alter Patron, und Petra fürchtet sich vor ihm. Er soll schon ewig lange im Unternehmen sein – außer dem Lohnbuchhalter Jennemann, dem sie vorhin unten bereits eine braune Mappe übergeben hat, ist er der älteste Mitarbeiter im Hause. Unter den buschigen Augenbrauen blickt er immer sehr streng, und alle sagen, er sei launisch und unberechenbar. Seitdem die Umsätze stetig sinken, ist er noch nervöser geworden. Aber diese Zusammenhänge kennt Petra natürlich nicht.
Sie hat nun durch eine Glastür die „Teppichabteilung“ verlassen und befindet sich wieder auf normalem Boden. Gleich hinter der Flügeltür ist die Einkaufsabteilung. Hier fühlt sich Petra bedeutend wohler. Die drei Einkaufsleute, Frau Rimmelein, Fräulein Weiß und der immer geschwätzige Herr Knab, sitzen zurückgelehnt in ihren Stühlen, als ob die Mittagspause schon begonnen hätte.

„Und ich sage euch“, sagt Herr Knab mit gewichtiger Stimme, „die Amerikaner machen kurzen Prozess! Ich weiß das von meinem Schwager – die sind auch von so einem Konzern übernommen worden. Ein Kopf nach dem andern ist da gerollt! Die machen 'hire and fire' – falls ihr wisst, was das ist!“

„Ach, Herr Knab“, meint Else Rimmelein, „ganz so doll kann's auch nicht kommen, mit ihrem 'Heier und Feier' – was das auch immer sein mag! Ich hab' da einen Bekannten, der weiß in diesen Sachen genau Bescheid. Und der hat gesagt, die Amerikaner können gar nichts machen, weil nämlich hier in Deutschland immer noch die deutschen Gesetze gelten, Kündigungsschutz und all die Sachen. Danach müssen sich die Amerikaner richten, ob sie wollen oder nicht!“

„Es soll ja auch noch in dieser Woche eine Betriebsversammlung stattfinden“, wirft Fräulein Weiß ein, „und der Betriebsrat hat ja wohl auch noch ein Wörtchen mitzureden!“
„Gott bewahre euch euere Unschuld! Betriebsrat – dass ich nicht lache! Was kann denn der schon ausrichten, wenn die hohen Herren miteinander verhandeln? Natürlich gelten hier unsere Gesetze, aber die Amerikaner werden genügend Gründe finden, um die Leute an die Luft setzen zu können. Erstmal fliegen alle die, die kein Englisch können!“
„Ist ja nicht wahr“, schreit die Rimmelein, „wir sind und bleiben hier in Deutschland und haben deutsche Geschäftspartner! Im Gegenteil, diese Amis müssen Deutsch lernen, damit sie uns verstehen!“
Herr Knab schüttelt sich vor Lachen und greift sich an den Kopf. „Die Amerikaner Deutsch lernen?! Da kennen Sie die aber schlecht! Die erwarten, dass jeder, den sie hier im Haus anquatschen, auf Englisch antwortet! Und dann – dieses ganze amerikanische Berichtswesen! Mein Schwager hat mir erzählt, dass bei ihnen jeder jede Woche einen langen Bericht in Englisch schreiben muss über alles, was er die Woche über getan hat ...“
„Aber doch nicht jeder!“ ruft die Rimmelein dazwischen.
„Doch! Aus allen Abteilungen: Einkauf, Verkauf, Rechnungswesen und so weiter. Ich kann nur sagen, jeder tut gut daran, schnellstens Englisch zu lernen!“
„Können Sie denn Englisch, Herr Knab, außer 'hire and fire'?“ fragt Fräulein Weiß etwas spöttisch.
„Na ja, was man halt so in der Realschule gelernt hat. Aber ich werde mich fortbilden, das können sie mir glauben – und wenn ich es aus der eigenen Tasche bezahlen muss!“

Petra Müller hat die ganze Zeit dem Gespräch schweigend zugehört. Jetzt will sie auch etwas dazu beitragen.

„Der Juniorchef fährt bald nach England, um Englisch zu lernen!“ sagt sie. Sie hat das von Babsi gehört.
Begierig nehmen die drei diese Neuigkeit auf.
„Wann denn? Wie lange denn?“
Petra zuckt die Achseln. So genau weiß sie das auch wieder nicht. Herr Knab wiegt grinsend den Kopf.
„Sieh' an, der schöne Udo! Der wird seine Englischstunden da drüben wohl kaum aus der eigenen Tasche bezahlen! Aber Recht hat er! Der weiß, was die Stunde geschlagen hat. Muss sich ja schließlich mit den Herren unterhalten können. Nicht dass es ihm so ergeht, wie seinem Alten, der hilflos herumstotterte und Dr. Mertens herbeirufen musste ...“
Alle lachen.
„Der Seniorchef wird ja auch bald sechzig und hört dann sowieso auf“, sagt Petra. Auch diese Weisheit hat sie von Babsi. Aber damit verkündet sie nichts Neues. Über Geburtstage im Haus wissen Knab und Rimmelein natürlich Bescheid. Aber immerhin hat Petra für ein weiteres Gesprächsthema gesorgt.
„Also, der Geburtstag des Alten, der wird noch mal ganz groß gefeiert, das steht fest! Ob da nun der Ami mitspielt oder nicht – das ist schließlich Ehrensache! Außerdem ist das ja gleichzeitig eine Verabschiedung und…“

Herr Knab wird jäh unterbrochen, denn eine donnernde Stimme tönt plötzlich durch den Lautsprecher, der auf seinem Schreibtisch steht: „Herr Knab, haben Sie bei Kunz & Sohn schon nachgefragt, wann die endlich liefern?“
Petra Müller ist bei diesem plötzlichen Ruf heftig erschrokken. Einfach grässlich sind diese Sprechanlagen der Chefs, mit denen sie, weit entfernt sitzend, urplötzlich in das Büro ihrer Untergebenen rufen.
Herr Knab beeilt sich sehr, zu antworten:
„Ich werde sofort dort anrufen, Herr Frantz.“ Dann wendet er sich den Papieren auf seinem Schreibtisch zu. Petra über-

gibt Frau Rimmelein die gelbe Mappe, ergreift die Hauspost und verlässt den Raum.
Die letzte Mappe, eine graue, legt sie in das Büro von Herrn Wagenseil, dem Produktionsleiter. Der ist fast nie auf seinem Platz, weil er ständig in den einzelnen Produktionsabteilungen nach dem Rechten sehen muss. Sie bringt nun alle Hauspostumschläge zur Registratur im Kellergeschoß, um sie dort zu sortieren. Herr Ladewig hat schon lange die zweite Post bereitgelegt. All das, die zweite Post und die Hauspost, wird Petra nachher wieder durch die Betriebsgebäude tragen. Sie ist ein bisschen stolz darauf, weil sie sich hier überall so gut auskennt. Besonders beim Hauspostumlauf – da muss sie jeden Winkel kennen, um alles ordnungsgemäß abzuliefern.

Der Betrieb besteht aus drei Gebäuden: dem großen Bürohaus vorn an der Straße, einem lang gestreckten Seitenbau, in dem unten verschiedene Betriebswerkstätten und die Ambulanz, im Obergeschoß das Labor und die Versuchsküche untergebracht sind, und einem mächtigen Rückgebäude mit den verschiedenen Produktionsräumen. Da gibt es die Abteilungen „Salate“, „Desserts“, „Beilagen“, „Saucen“ und noch andere mehr. Außerdem ist dort im Erdgeschoss das große Versandlager. Ja, Petra kennt sich gut aus, und wenn irgendeine neue Bürokraft im Hause anfängt – Neulinge, die nicht wichtig genug sind, dass der Chef sich selbst Zeit für einen Informationsgang mit ihnen nimmt – , wird Petra beauftragt, diese Neuzugänge bei ihrem Rundgang mitzunehmen und ihnen alles zu erklären. Freilich, viel erklären kann die kleine Petra nicht. Sie weiß zwar, wie die einzelnen Abteilungen heißen, aber was die vielen Menschen dort tun und warum, davon hat sie keine Ahnung. Aber so genau wollen das die Neulinge, vom ersten Eindruck ohnedies überwältigt und verwirrt, meist gar nicht wissen. Und es schmeichelt Petra gewaltig, wenn sie staunend sagen: „Wie gut Sie sich hier auskennen! Du lieber Himmel, hier würde ich mich hoffnungslos verirren! Es wird lange dauern, bis ich mich da mal zurechtfinde!"

Punkt zwölf Uhr ertönt ein schrilles Läuten durch alle Gänge. Und nun sieht man Petra Müller zum ersten Mal an diesem Tag sehr flink durch das Gebäude huschen. Sie beeilt sich, um zur Kantine zu kommen.
Die Kantine der „Feinkostwerke Fritz Baumann GmbH" befindet sich im Hauptgebäude und nimmt hier mehr als die Hälfte des gesamten Erdgeschosses ein. Vor kurzem erst ist der riesige Raum renoviert worden, und man ist stolz auf den hellen, freundlichen Speisesaal, in dem alle 250 Mitarbeiter des Unternehmens Platz finden.
Sie haben alle zur gleichen Zeit Pause, die Abteilungsleiter und Angestellten, die Köche, die Betriebshandwerker und das Heer der Hilfsarbeiter und Hilfsarbeiterinnen. Zusammen Pause zu haben bedeutet allerdings nicht, auch zusammen zu essen. Es hat sich – ohne dass das irgendwann von irgendjemandem angeordnet worden wäre – sehr schnell und wie von selbst eine Art hierarchische Tischordnung ergeben, die von allen mit der größten Selbstverständlichkeit eingehalten wird. So sieht man in der linken hinteren Ecke des Saales stets nur die Angestellten sitzen, ihrerseits meist nochmals abteilungsweise unterteilt. Die rechte hintere Ecke „gehört" den Abteilungsleitern, die miteinander wetteifern, um einen Platz beim Seniorchef, dem alten Fritz Baumann, zu ergattern. Hier ist die Mittagspause natürlich zum „Arbeitsessen" umfunktioniert, die Herren haben immer Wichtiges zu besprechen, was niemand hören soll und darf. Aber bei dem allgemeinen Lärm im Raum – Stimmengewirr, Stühlerücken, Tellergeklapper – versteht man ohnedies kaum sein eigenes Wort und ganz gewiss nicht das, was am Nebentisch gesprochen wird.

Gleich vorn am linken Eingang sitzen die Betriebshandwerker, und die rechte vordere Seite ist der Stammplatz der Köche, nicht zu übersehen durch ihr Statussymbol, die hohe, weiße Mütze, die sie auch während der Mittagspause nicht abnehmen. Das übrige „gemeine Volk“ sitzt in der Mitte des Raumes.
Petra Müller hätte sich gern zu Babsi an den Tisch gesetzt. Aber die sitzt schon mit Angelika Ostendorf und noch einigen anderen Sekretärinnen zusammen, und sie unterhalten sich angeregt.
„Mit denen spricht die eingebildete Ziege natürlich“, denkt Petra grimmig und geht zwei Tische weiter, wo sie bei den Einkaufsdamen Rimmelein und Weiß und zwei Leuten von der Arbeitsvorbereitung noch einen Platz findet. Sie sprechen davon, dass es wohl gut wäre, Englisch zu lernen ...

Am Nachmittag kommt Herr Runge, der junge Verkaufsassistent, in das Sekretariat der Geschäftsleitung.
„Ich habe gehört, dass der Juniorchef nächste Woche für ein halbes Jahr nach England reist, um Englisch zu lernen“, sagt er.
„Wo wollen Sie denn das schon wieder gehört haben?“ fragt Lotte Treutel spitz.
Er zuckt die Achseln.
„Man spricht allenthalben davon. Ich möchte ja auch nur mal fragen, wie das jetzt so allgemein aussieht, mit Seminaren. Sie wissen doch, dass ich allein für die Verkaufsabteilung schon zu Beginn des Jahres vier Anträge eingereicht habe, und das ist alles noch unerledigt. Gerade Englisch erscheint jetzt sehr wichtig und ...“
„Sie wissen ganz genau, Herr Runge, dass die Geschäftsleitung schon vor Monaten alle Seminarvorhaben gestrichen hat. Bei der gegenwärtigen Lage ...“
„Na ja“, meint Herr Runge, „ich dachte ja nur. Es könnte doch sein, dass sich die Lage jetzt ändert – nach dem, was

seit heute morgen am Schwarzen Brett zu lesen ist. Und wenn der Junior für ein halbes Jahr …"
„Das sind doch alles nur blödsinnige Gerüchte!" ruft die Treutel ungewöhnlich heftig, „weder Zeitpunkt noch Dauer irgendeines Seminars stehen fest. Das sind alles nur Planungen und Erwägungen, verstehen Sie?"
„Nun, ich möchte jedenfalls darum bitten, mich rechtzeitig darüber zu unterrichten, falls solche Erwägungen einmal einen größeren Personenkreis betreffen sollten." Damit verlässt Herr Runge den Raum.

„Es ist doch einfach unerhört, wie sich in diesem Haus Gerüchte immer in Windeseile ausbreiten", sagt Lotte Treutel ärgerlich, „die Leute sind doch tatsächlich immer besser informiert als wir selbst! Nichts kann in diesem furchtbaren Betrieb geheim bleiben. Woher weiß der das nun schon wieder?"
Babsi, die gerade ihre Fingernägel lackiert, zuckt gleichgültig die Achseln.
„Das ist doch immer so, dass hier jeder die Flöhe husten hört. Aber was soll's auch? So ein riesengroßes Geheimnis ist das doch auch wieder nicht …"

* * * *

„Kommen Sie heute Nachmittag mit zur Betriebsversammlung?" fragt Babsi zwei Tage später ihre Kollegin. Fräulein Treutel schüttelt etwas pikiert den Kopf: „Ich denke überhaupt nicht daran, mich unter das Volk zu setzen! Bei diesen Versammlungen hört man doch sowieso nur dummes Geschwätz. Und für mich ist nicht maßgebend, was der Betriebsrat sagt, sondern nur, was von der Geschäftsleitung kommt!"

Man könnte gerade meinen, sie wäre eine dolle Managerin, denkt Babsi, dabei drückt man sie schon seit Jahren, wo man nur kann, und sie ist bis jetzt noch nicht über ihre lächerliche K-4-Einstufung hinausgekommen!

Laut sagt sie: „Ich werde jedenfalls hingehen, vielleicht wird es interessant. Wir haben ziemliche Unruhe im Haus seit dem Aushang von vorgestern."

Fräulein Treutel verzieht geringschätzig den Mund: „Ich habe Wichtigeres zu tun. Die Einladungsliste für Herrn Baumanns Geburtstagsfest muss fertig werden. Und außerdem, ob Unruhe oder nicht, wenn es darauf ankommt, schweigen alle still. Bilden Sie sich nur nicht ein, dass Sie etwas Besonderes hören werden!"

Dasselbe sagt Else Rimmelein im Einkauf zu Herrn Knab, der mit den größten Erwartungen der Betriebsversammlung entgegensieht.

„Das war doch schon immer so, Herr Knab, die Leute reden, schimpfen und lamentieren. Aber wenn dann Versammlung ist und es wird um Wortmeldung gebeten, dann schweigt alles wie im Grab. Keiner hat dann auch nur eine einzige Frage!"

„Das mag bis jetzt so gewesen sein", erwidert Herr Knab, „aber dieses Mal wird es anders! Jetzt haben wir eine Ausnahmesituation. Es ist ja auch keine gewöhnliche, sondern eine außerordentliche Betriebsversammlung!"

Die Betriebsversammlungen finden immer im Speisesaal statt. Gleich nach der Mittagspause sind sämtliche Betriebshandwerker damit beschäftigt, die Tische beiseite zu rücken und alle Stühle Reihe um Reihe nebeneinander zu stellen. Vorn ist der Tisch des Betriebrates mit einem Podium und Mikrofon. Ebenfalls vorn, aber etwas seitlich sind einige Stühle für die „leitenden Herren" aufgestellt – nicht die harten, einfachen Stühle vom Speisesaal, sondern eigens aus dem Konferenzzimmer herbeigeholte, bequeme Polstersitze.

Gegen 15 Uhr drängt sich die Belegschaft in den Raum.

Die hintersten Reihen füllen sich zuerst, denn alle haben Scheu, sich zu weit nach vorn zu wagen. Schließlich sind die vorderen drei Reihen noch leer, während hinten bereits Stehplätze eingenommen werden.

„Herrschaften, nur immer näher – hier vorne ist noch Platz!" ruft Herr Korn, Leiter der Abteilung „Arbeitsvorbereitung" und gleichzeitig Betriebsratsvorsitzender, ins Mikrofon.

Babsi gibt Petra einen Schubs. „Komm, wir gehen vor. Ich kann so viele Köpfe vor mir sowieso nicht leiden!" Einige andere folgen zögernd. Die Betriebsversammlung kann beginnen.

„Kolleginnen und Kollegen", donnert jetzt Herr Korn ins Mikrofon, „der Betriebsrat hat diese außerordentliche Betriebsversammlung einberufen, weil der Firma Feinkostwerke Fritz Baumann GmbH tief greifende Veränderungen bevorstehen, wie Ihnen allen spätestens seit dem bewussten Aushang am Schwarzen Brett bekannt ist. Sie, liebe Kolleginnen und Kollegen, haben, wie der Betriebsrat meint, ein Recht darauf, über diese Veränderungen sozusagen aus erster Hand informiert zu werden. Denn das, was mit wenigen Sätzen am Schwarzen Brett steht, kann für uns keine ausreichende Information sein! Ich fordere daher die Geschäftsleitung auf" – er nickt hinüber zu der Sesselreihe, wo die Herren Udo Baumann, Verkaufsleiter Arthur König, Einkaufsleiter Otto Frantz, der kaufmännische Direktor Dr. Heinz Mertens und Produktionsleiter Erwin Wagenseil sitzen –, „ich fordere die Geschäftsleitung auf, einen umfassenden Bericht über die ge-

planten Maßnahmen und Veränderungen abzugeben. Zuvor aber möchte der Betriebsrat Ihnen, liebe Kolleginnen und Kollegen, Folgendes versichern: wir werden mit aller Härte dafür eintreten, dass Ihre Interessen als Arbeitnehmer voll gewahrt bleiben! Wir werden es nicht dulden, dass auch nur ein Werktätiger in diesem Hause Schaden erleidet, welche Veränderungen auch immer eintreten mögen!"
– Tosender Beifall –
Nun erhebt sich der schöne Udo, springt leichtfüßig auf das Podest, lacht jungenhaft – und erntet bereits Beifall, noch ehe er den Mund aufgetan hat.

„Liebe Mitarbeiterinnen, liebe Mitarbeiter", beginnt er, „zunächst möchte ich die Abwesenheit des Seniorchefs entschuldigen. Er musste sich einem kleinen chirurgischen Eingriff unterziehen und kann erst nächste Woche wieder unter uns sein. So werde ich als Personalreferent und juristischer Berater des Hauses gerne den gewünschten Bericht abgeben und mich bemühen, Sie umfassend zu unterrichten. Feststeht, dass mit Wirkung vom 1. Juni dieses Jahres, also ab nächsten Monat, unser Unternehmen in die Hände des amerikanischen Konzerns 'Gordon's Worldwide Food Organization' – kurz GWFO genannt (er spricht das aus: Dschi dabbelju äff ouu) – übergehen wird. Dieser Veränderung sind langwierige, teilweise harte, aber immer faire Gespräche vorausgegangen, und ich kann Ihnen versichern, dass unser Seniorchef, Herr Fritz Baumann, in all den Gesprächen in erster Linie an Sie, an seine treuen Mitarbeiter, deren Wohl ihm vor allem am Herzen liegt, gedacht hat!"

– Tosender Beifall –

„Diese wirtschaftlich notwendige und deshalb unabwendbare Veränderung wird zum Besten aller Mitarbeiter wie auch des ganzen Unternehmens sein", verkündet Udo Baumann weiter. „Wir werden Tochter einer äußerst fachkundigen, starken und weltweit orientierten Mutter sein. Wir werden in ganz Europa und in Übersee Schwesterfirmen bekommen, deren Ruf ausgezeichnet ist. Die wirtschaftlichen Möglichkeiten, die sich hierdurch für uns eröffnen, sind außerordentlich gut und zukunftsträchtig. Dem Unternehmen wird durch diese Verbindung eine Expansion von noch nie gekanntem Ausmaß vorausgesagt – der Erfolg wird mit uns sein!"

– Tosender Beifall –

Udo Baumann senkt jetzt etwas seine Stimme:
„Ich muss hierzu bekennen, meine lieben Mitarbeiter und Mitarbeiterinnen, dass uns, meinem Vater und mir, trotz dieser glänzenden Zukunftsaussichten diese Entscheidung unendlich schwer gefallen ist. Gilt es doch, ein langjähriges Familienunternehmen nunmehr einem großen Konzern einzuverleiben! Aber – das Wohl aller muss vor eigennützigen und vielleicht auch etwas sentimentalen Überlegungen den Vorrang haben! Es gilt, im heutigen Wirtschaftsleben Schritt zu halten mit einer modernen, nicht mehr aufzuhaltenden Entwicklung. Und dies wird für uns nur noch unter der Führung einer starken Hand möglich sein. Und wenn in den nächsten Wochen die Herren von GWFO (Dschi dabbelju äff ouu) in unser Haus kommen, dann möchte ich Sie alle herzlich bitten: Seien Sie ihnen gegenüber freundlich, entgegenkommend und hilfsbereit, denn diese Herren kommen als unsere Freunde und möchten alle nur unser Wohl. Gemeinsam mit ihnen werden wir neuen Erfolgen entgegensehen können. Ich danke Ihnen!"
Mit einer knappen Verbeugung verlässt der schöne Udo das Podest und eilt wieder zu seinem Polsterstuhl. Betriebsratsvorsitzender Rudolf Korn steht nun wieder am Mikrofon, aber es dauert ziemlich lange, bis er sprechen kann, denn der

laute Beifall für den schönen Udo will nicht enden. Noch ehe das Klatschen ganz verebbt ist, beginnt Rudolf Korn:
„Ich danke Herrn Baumann junior für seine Ausführungen. Aber eines, lieber Herr Udo, kann ich Ihnen gleich sagen: Wir werden hier niemals Dschi dabbelju äff ouu sagen, sondern schlicht und einfach Ge we ef o – so, wie wir das Alphabet in der Schule gelernt haben! Denn wir sind und bleiben hier in Deutschland!“

– Tosender Beifall –

„Und bei der Gelegenheit gleich noch eine Bemerkung: Der Betriebsrat wird es nicht dulden, dass die Fähigkeiten eines Mitarbeiters und somit die Sicherheit seines Arbeitsplatzes daran gemessen werden, ob er Englisch kann oder nicht! Die Firma Fritz Baumann bleibt eine deutsche Firma in Deutschland. Und um unsere erstklassigen Produkte herzustellen und zu verkaufen brauchen wir keine englischen Sprachkenntnisse!“

– Tosender Beifall –

Udo Baumann beißt sich auf die Lippen. Verdammt! Ob da schon wieder was durchgesickert ist wegen seiner Sprachreise nach England? In diesem Schuppen bleibt aber auch nichts geheim!
Behände springt er nochmals aufs Podest:
„Liebe Mitarbeiterinnen und Mitarbeiter, selbstverständlich sind englische Sprachkenntnisse für unser Haus auch nach dieser Übernahme nur von zweitrangiger Bedeutung. Die GWFO(dieses Mal benutzt er die deutsche Aussprache) übernimmt uns nicht, weil sie mit uns englisch sprechen will, sondern weil sie Interesse an unseren Produkten und vor allem an unserem Know-how hat und weil sie die Tüchtigkeit unserer Köche sowie die Kreativität unserer Küchenmeister

schätzt. Ich kann also diesbezügliche Sorgen völlig zerstreuen!“

– Tosender Beifall –

Betriebsratsvorsitzender Korn stellt jetzt die am Ende jeder Betriebsversammlung übliche Frage:
„Hat jemand noch eine Wortmeldung? Möchte jemand etwas fragen oder sagen?“

– Totenstille –

„Dann erkläre ich hiermit die außerordentliche Betriebsversammlung für beendet!“ Stühlerücken, Gemurmel, das schnell zu einem lauten Stimmengewirr anschwillt, und langsam leert sich der Saal.

* * * *

Lotte Treutel hat in der Zwischenzeit im Geschäftsleitungssekretariat die Besucherliste für das Geburtstagsfest des Seniorchefs fertig gestellt. Zweifelnd blickt sie auf, als Udo Baumann hereinkommt. Er pfeift leise vor sich hin und ist offensichtlich gut gelaunt. Er ist zufrieden mit sich und seiner Rede. Eigentlich ist er doch wirklich ein toller Kerl – hat mehr Beifall bekommen als der Betriebsrat!

Ich habe die Liste jetzt fertig“, sagt Fräulein Treutel, „aber ich fürchte, es sind zu viele Leute!“

„Wie viele sind es denn?“

„159!“

„Waas? – Lassen Sie mal sehen!“

Er nimmt die beschriebenen Bogen und blickt flüchtig darüber.

„Du lieber Himmel, da stehen ja wirklich Hinz und Kunz beieinander. Was hatten wir vereinbart?“

„Sie haben gesagt, alle Abteilungsleiter, Chefsekretärinnen, Köche und die Mitarbeiter, die mindestens zehn Jahre Betriebszugehörigkeit haben.“

„Es dürfen keinesfalls mehr als hundert sein“, versetzt Udo, „lassen Sie mich nachdenken. Also, Abteilungsleiter und Köche, das ist ja wohl klar. Und die paar Sekretärinnen, auch klar. Wie viele Angestellte und Arbeiter haben wir eigentlich?“

„Rund 150 Arbeiter und 100 Angestellte!“ antwortet Fräulein Treutel prompt.

„Viel zu viele Arbeiter“, murmelt Udo, „wir machen es so: Arbeiter nehmen nur teil, wenn sie über zwanzig Jahre in der Firma sind. Ich könnte mir vorstellen, dass wir dann mit der Zahl hinkommen. – Was soll auch so viel dummes Volk bei dieser Feier ...“

Letzteres sagt er mehr zu sich, während er nach nebenan in sein Büro verschwindet.

Lotte Treutel stellt die Liste nach den neuen Anweisungen zusammen und hat dann tatsächlich nur noch 94 Namen. Die Einladungen können geschrieben werden. Diese Arbeit erledigt Babsi. Und so erhalten einige Tage später 94 Mitarbeiter einen Brief von der Geschäftsleitung, in dem es heißt, dass der Seniorchef „sich außerordentlich freut, zu seinem 60. Geburtstag am Abend des 24. Mai um 18.00 Uhr in das Hotel Königshof zu einem Essen und fröhlichen Beisammensein einzuladen."

Es dauert nicht lange, da erscheint Herr Knab von der Einkaufsabteilung im Sekretariat der Geschäftsleitung und sagt: „Ich glaube, Sie haben meine Einladung vergessen!"
Fräulein Treutel wirft einen kurzen Blick in die Personalliste und schüttelt danach sehr bestimmt den Kopf: „Nein, Herr Knab, Sie gehören nicht mit zu dem Kreis, der eingeladen wurde."
„Aber das ist ja wohl ein schlechter Witz!" entrüstet sich Herr Knab, „die Rimmelein aus der Einkaufsabteilung bekommt eine Einladung und ich nicht?! Das geht ja wohl nicht mit rechten Dingen zu!"
Wieder ein Blick in die Personalliste.
„Es tut mir leid, Herr Knab, aber Frau Rimmelein ist schon elf Jahre in der Firma und Sie sind erst acht Jahre bei uns. Es konnten nur Angestellte berücksichtigt werden, die mindestens zehn Jahre im Unternehmen sind."
„Aber das ist doch eine Frechheit!" ruft Herr Knab empört, „schließlich bin ich der Gruppenleiter im Einkauf und die Rimmelein ist nur eine einfache Sachbearbeiterin, sozusagen meine Untergebene. Die wird eingeladen und ich nicht! Das können Sie mit mir nicht machen! Das lasse ich mir nicht gefallen!"
Lotte Treutel zuckt die Achseln: „Bedaure, ich habe meine Anweisungen."

„Ich pfeife auf Ihre Anweisungen! Ich werde zum Chef persönlich gehen, damit ich zu meinem Recht komme!"
„Na schön, dann tun Sie das mal", sagt Lotte Treutel hochnäsig, „aber da werden Sie erst recht auf Granit beißen!"
Eine Viertelstunde später steckt Udo Baumann den Kopf zur Tür herein.
„Dieser Bursche aus dem Einkauf – wie heißt er doch? Richtig, Knab. Also, dieser Schwachkopf ist tödlich beleidigt, weil er nicht eingeladen ist. Schicken Sie ihm halt auch noch eine Einladung, damit ich meine Ruhe habe!"
„Aber Herr Baumann", ruft Lotte Treutel empört, „er ist noch keine zehn Jahre im Unternehmen! Und wenn ich ihn jetzt dazunehme, muss ich mit einer ganzen Reihe Angestellter, die auch erst acht oder neun Jahre im Haus sind, das Gleiche tun ..."
„Es muss ja nicht unbedingt bekannt werden!"
„Ausgerechnet bei dem Knab! Sobald der die Einladung in der Hand hat, erfährt es doch sofort das ganze Haus!"
„Na ja, dann schauen Sie eben mal nach, wie viele Angestellte da noch hinzukommen. Wir haben ja wohl noch etwas Spielraum – wie viele stehen jetzt auf der Liste?"
„94!"
„Na also. Machen Sie mit diesen Leuten die Hundert noch voll!"
„Aber", Lotte Treutel wagt noch einen Einwand, „wir haben eine große Anzahl Arbeiter aus der Liste genommen, die teilweise schon fast zwanzig Jahre im Unternehmen sind. Und jetzt nehmen wir Angestellte, die noch nicht mal zehn ..."
„Ich kann es nicht ändern", unterbricht sie Udo Baumann ungeduldig, „ich habe vom Senior die Anweisung, hundert Leute einzuladen, und damit basta. Machen Sie es jetzt so, wie ich gesagt habe. Ich will von dem ganzen Kram nichts mehr hören!"
Damit schließt er recht unsanft die Tür.

Seufzend überarbeitet Lotte Treutel die Liste zum dritten Mal. Sie kommt jetzt auf die Zahl 102. – Was nun? Ob sie den Chef nochmals anspricht? Lieber nicht, er war vorhin schon wütend. So charmant der schöne Udo auch sein kann, manchmal ist er recht gereizt und ärgerlich, besonders ihr gegenüber. Bei Babsi ist er nicht so ...
Unsicher blickt sie zu der jüngeren Kollegin hinüber.
„Was mache ich bloß? Jetzt habe ich glücklich 102 Leute auf der Liste. Aber der frisst mich auf, wenn ich noch einmal damit ankomme. Ich kann aber auch niemanden streichen, das wäre doch ungerecht ..."
„Lassen Sie es doch einfach so", sagt Babsi gleichmütig, „ob 100 oder 102, was macht das schon? Außerdem, vollzählig kommen die ja sowieso nicht. Irgendjemand ist immer krank oder sonst wie verhindert."
Die Treutel atmet auf. Manchmal ist Babsi schon ein kluges Kind.
„Ja, Sie haben Recht. Wir werden dem Chef 100 Teilnehmer melden und verschicken 102 Einladungen. – Aber das ist mal wieder typisch für den hohen Herrn", setzt sie ärgerlich hinzu, „erst gibt er strikte Anweisungen, wie es gemacht werden soll, und dann wirft er seine eigenen Anordnungen über den Haufen, nur weil es ihm zu unbequem ist, zu dem Knab nein zu sagen! Immer den Weg des geringsten Widerstandes! Oh, wie ich das hasse!"

* * * *

Es ist alles ungeheuer vornehm am Abend des 24. Mai im Hotel „Königshof". Die Tische sind geradezu traumhaft gedeckt, es funkelt und blitzt auf schwerem Damast, Blumen und Kerzen sind geschmackvoll arrangiert, silberne Bestecke liegen auf, und an jedem Platz stehen drei blitzblanke Gläser verschiedener Größe für die erlesenen Getränke. Ein lukullisches Menü ist zusammengestellt worden, und selbst die kritischen Köche, bei denen es zur Berufsehre gehört, jedes Gericht zu beargwöhnen, nicken anerkennend. Die Herren sind alle im dunklen Anzug erschienen, und gerade die Köche, die man im Betrieb schon jahrelang kennt, erscheinen hier wie absolut fremde Personen, denn man hat sie bislang immer nur mit der Kochmütze, dem weißen Anzug und der – zumeist fleckigen – Schürze gesehen.
Zunächst stehen alle nur verlegen lächelnd herum, mit einem Glas in der Hand. Niemand wagt sich zu setzen, bis schließlich der Senior den Anfang macht und sich zusammen mit den „Leitenden Herren" an einem Tisch niederlässt. Jetzt verteilen sich auch die Gäste auf die übrigen Plätze, wobei ganz automatisch eine ähnliche hierarchische Tischordnung zustande kommt, wie man sie vom Speisesaal der Feinkostwerke Fritz Baumann GmbH gewohnt ist.
Viele salbungsvolle Worte werden gesprochen, zuerst vom schönen Udo, dann vom kaufmännischen Direktor Dr. Mertens, dann von Verkaufsdirektor König, der sich nervös verhaspelt, obwohl ihm seine Sekretärin, Frau Schubert, genau aufgeschrieben hat, was er sagen soll. Danach bedankt sich der Senior für die guten Worte sowie für die treue Mitarbeit seiner Untergebenen und versichert, dass er auch im Ruhestand in Gedanken stets im Unternehmen sein werde. Und wenn es einmal Probleme geben sollte, könne man sich jederzeit vertrauensvoll an seinen betriebserfahrenen Sohn Udo wenden, und selbstverständlich auch an den ganz besonders verständnisvollen neuen amerikanischen Geschäftsführer, Mister Allan O'Connor, der eigens aus Amerika ge-

kommen sei, um als General Manager mit weiser Hand die Geschicke des Unternehmens zu leiten. Es sei ihm, Fritz Baumann, eine ganz besondere Ehre und Freude, Mr. O'Connor heute hier begrüßen und den Anwesenden vorstellen zu können.

Der dunkelhaarige, schlanke Amerikaner – er mag so um die 40 Jahre alt sein – erhebt sich von seinem Stuhl neben dem Senior und spricht jetzt auch einige Worte. Man stellt mit Erleichterung fest, dass er sogar Deutsch kann, wenn auch mit starkem Akzent.

„Er sieht aus wie ein Gentleman!“ flüstert Frau Schubert Fräulein Treutel zu.

Zum Schluss seiner Rede erhebt Mr. O'Connor sein Glas, man trinkt auf das Geburtstagskind, und die Kellner eilen geräuschlos um die Tische herum und schenken nach.

Man speist und trinkt sehr gepflegt, eine gedämpfte, etwas scheue Unterhaltung setzt ein. Die ganze Stimmung ist noch etwas gezwungen, bis einer der höheren Herren, der Gehaltsbuchhalter und Kassenführer Specht, plötzlich laut ausruft: „Hach, der Wein ist zwar vorzüglich, aber er löscht nicht meinen Durst! Jetzt brauche ich ein zünftiges Bier!“

Damit ist das erlösende Wort gefallen. Das Bier und die zugehörigen Schnäpse beginnen in Strömen zu fließen, man wird laut und lustig, die Musik spielt zum Tanz auf, und bald herrscht eine Bombenstimmung. – Was macht es schon, dass das sonst so stille und vornehme Fräulein Ostendorf plötzlich laut aufkreischt, weil sie ihr Weinglas umgeworfen hat? Was macht es schon, dass der schöne Udo schließlich mit gläsernem Blick fast vom Stuhl rutscht? Und was ist schon dabei, wenn Babsi mit hochrotem Gesicht an den Tisch der älteren Sekretärinnen flüchtet, die mit süßsaurer Miene stocksteif als Mauerblümchen dasitzen und ab und zu an ihrem Glas nippen?

Babsi setzt sich zwischen Fräulein Treutel und Frau Schubert und sagt:

„Es ist doch furchtbar, mit diesen Außendienstleuten – kaum haben sie was getrunken, kennen sie keine Hemmungen mehr und fassen einem überall hin!"
Die Treutel hätte zwar sehr gerne etwas genauer gewusst, wo bei Babsi dieses „überall" ist, aber sie kneift die Lippen zusammen und sagt:
„Jaja, typisch für diese Verkäufer! – Und überhaupt, die Männer und der Alkohol!"
Frau Schubert blickt Babsi von der Seite an und meint:
„Ihr Kleid ermuntert die Herren aber auch geradezu zum Anfassen, meine Liebe!"

Babsi hat wirklich ein sehr raffiniertes Kleid an, eng geschnitten, mit tiefem Dekollete und langen Seitenschlitzen, durch die man ihre wohlgeformten Beine bewundern kann.
Frau Schubert geniert sich ein wenig, denn sie hat als einzige der anwesenden Damen kein langes Kleid an. Alle sind sie in großer Garderobe gekommen, und sie trägt nur Rock und Bluse – allerdings ihren besten Rock und ihre beste Bluse. Sie fühlt sich nun recht unbehaglich und sagt, sie habe einfach nicht daran gedacht, für diesen Abend „etwas Besonderes" anzuziehen. In Wahrheit hat sie aber gar nichts „Besonderes" im Kleiderschrank, denn sie hat zu Hause einen kranken Mann, der mit 48 Jahren bereits Frührentner ist, und zwei schulpflichtige Kinder.
Jetzt blickt sie auf ihre Uhr und ruft aus:
„Du meine Güte! Es geht ja schon auf elf – da muss ich mich bald verabschieden. Ich kann meinen Mann und meine Kinder nicht so lange allein lassen!"
Herr Knab ruft vom Nebentisch:
„Sie werden doch nicht schon heimgehen wollen, Frau Schubert? Jetzt, wo es erst richtig gemütlich wird?"
Und zusammen mit der Rimmelein stimmt er laut an:
„So ein Tag, so wunderschön wie heute ..." und alle singen mit.

Der Seniorchef strahlt über das ganze Gesicht, doch dann muss er sich über die Augen wischen, denn nun singen sie „Hoch soll er leben!“, und die Gläser werden geschwungen. Ein wirklich gelungener Abend, meinen alle. Es wird sehr spät, oder besser gesagt, sehr früh am nächsten Morgen, und die Taxifahrer machen ein gutes Geschäft.

Unweigerlich hat dann alle der graue Alltag wieder. Die Köche und die wenigen Arbeiter und Arbeiterinnen, die bei der Festlichkeit dabei sein durften, erscheinen – blass, übernächtigt und mit Brummschädel – wie immer früh vor sieben Uhr und stecken brav ihre Stechkarte in den Schlitz an der Pforte, denn ihre feste Arbeitszeit beginnt um sieben Uhr und man muss immer pünktlich sein.
Die Angestellten haben es etwas besser. Sie können ihre Gleitzeit ausnützen, und die meisten kommen erst gegen neun Uhr angeschlichen. Die hohen Chefs sieht man erst am späten Vormittag, und der schöne Udo kommt an diesem Tag überhaupt nicht.
Gegen Ende des Monats Mai treffen sich dann nochmals alle Betriebsangehörigen im Speisesaal des Hauses. „Zum Abschieds-Umtrunk“ stand als Einladung für alle am Schwarzen Brett. Jeder Mitarbeiter bekommt ein Glas Wein in die Hand gedrückt, trotz „Alkohol-Verbot“. Der Seniorchef verabschiedet sich mit bewegten Worten, und Mr. Allan O'Connor hält seine Antrittsrede.
Die neue Zeit mit der neuen Führung kann beginnen!

* * * *

„Also pass auf, Babsi“, sagt Udo Baumann und beugt sich vertraulich über Babsis Schulter. Er redet sie mit Du an, seitdem sie als kleine Nachwuchssekretärin im Geschäftsleitungssekretariat angefangen hat, und sie lässt es sich gerne gefallen, denn sie mag den schönen Udo. Es gibt genügend Zungen in der Firma, die behaupten, die beiden „hätten etwas miteinander“, aber so dumm ist Udo Baumann nicht, dass er sich ernstlich mit einer kleinen Angestellten des Unternehmens einließe! Er hat zudem eine attraktive Braut, eine, die nicht nur gut aussieht, sondern auch aus vornehmer und vor allen Dingen vermögender Familie stammt, was bei Babsi gewiss nicht der Fall ist.

„Also“, sagt Udo, „du wirst jetzt ein Organigramm machen!“
„Was für ein Ding?“ fragt Babsi verdutzt.
„Ein Organigramm – du kannst es auch Organisationsplan nennen. Du nimmst dazu ein großes Blatt Papier, am besten in Querformat.“
Er greift nach einem Block auf Babsis Schreibtisch und beginnt, mit einem Bleistift darauf herumzukritzeln.
„So! Oben in die Mitte kommt ein kleines Kästchen, da hinein kommt Mr. O'Connor, der General Manager. Der ist der Höchste – außer der ganzen Blase in Amerika, die natürlich noch darüber steht, aber uns interessiert hier nur, was direkt im Hause ist. Also, der Mr. O'Connor und schräg darunter – das verbindest du dann so mit Strichen – kommt noch ein kleines Kästchen für seine Sekretärin.“
„Und das ist Fräulein Treutel!“ ergänzt Babsi.
Udo Baumann blickt einen Augenblick lang sinnend in die Luft, als ob er das erst gründlich überdenken müsse.
„Ja“, sagt er schließlich, „das ist einstweilen Fräulein Treutel.“
„Was heißt da 'einstweilen'?“ will Babsi wissen, „Fräulein Treutel hat diesen Platz als Chefsekretärin doch schon 25 Jahre lang! – Und was wird überhaupt mit mir?“

„Nur immer mit der Ruhe", beschwichtigt Udo, „das kommt alles noch. Jetzt machen wir erst mal hier weiter. Also, da kommt jetzt die so genannte 'Erste Ebene' – auch 'Executives' genannt. Das sind die Manager, die dem General Manager direkt unterstehen. Da haben wir insgesamt sieben verschiedene Bereiche, du musst also auf dieser Ebene sieben Kästchen verteilen. Da hätten wir zunächst mal den 'Operations-Manager'..."
„.– den Herrn Wagenseil ..." spricht Babsi dazwischen.
„Nein, nicht – nun bleib mir doch mal ganz mit Namen weg! Das kommt später!"
Udo ist jetzt leicht gereizt und Babsi schweigt lieber.
„Also, der Operations-Manager, der Quality-Manager, der Sales-Manager, der Marketing-Manager, der Export-Manager, der Controller und *last not least* der Personnel-Manager. Das werde ich sein, und du wirst meine Sekretärin und Assistentin - das machen wir beide zusammen, ok?"
Babsis Augen leuchten auf. Sie hat die Personalarbeit, soweit sie durch Udos Tätigkeit als Personalreferent im Geschäftsleitungssekretariat erledigt wurde, immer besonders gerne gemocht. Eine ganz richtige Personalabteilung gab es beim alten Fritz Baumann nicht. Die Arbeiter wurden bis jetzt so nebenbei vom Lohnbuchhalter Jennemann betreut. Nur für die Angestellten wurden hier oben Akten geführt, aber auch das nur nebenbei. Der Gedanke, jetzt eine richtige Personalabteilung aufzubauen, und gar noch zusammen mit dem schönen Udo, ist für Babsi sehr verlockend.
„Und wer sind die anderen Manager?" fragt sie etwas atemlos.
„In die meisten Kästchen kannst Du 'NN' hineinschreiben, das bedeutet 'nomen nescio' und ist lateinisch und heißt so viel wie 'Name unbekannt' – weil wir ihn jetzt noch nicht wissen. Für diese Positionen müssen erst noch die passenden Manager gefunden werden. Mr. O'Connor hat große Dinge mit uns vor, und da braucht er als erstes ein Top-

Management, das nach modernsten Gesichtspunkten gegliedert ist und arbeitet.

Nach der ersten Ebene kommt nun die zweite Ebene – da wird es ein bisschen eng, denn da müssen alle die Manager hin, die den Executives unterstehen. Du kannst diese Kästchen aber auch untereinander machen und mit Strichen so verbinden, dass man sieht, es soll alles eine Ebene sein. Dem Operations-Manager NN untersteht also der Wagenseil als Productions-Manager – wenigstens einstweilen noch – , dann der Planning-Manager, also Arbeitsvorbereitung, das ist dieser Betriebsratsmensch, der Herr Korn. Außerdem der Betriebsingenieur Hafner, das sind 'Technical Services'.

Beim nächsten Bereich, Sales, haben wir dann in der zweiten Ebene die vier Area Sales Manager, bei Marketing werden wir mindestens drei Product-Manager haben – einstweilen alles noch NN. Dem Controller untersteht ein Chief Accountant, ein Financial Analyst und…“

„Muss das denn alles in Englisch sein?“ fragt Babsi erschaudernd.

„Daran wirst du dich gewöhnen müssen. Du siehst jedenfalls, wir werden ungeheuer expandieren. Für die verschiedenen NN-Herren müssen dann natürlich auch noch Sekretärinnen eingestellt werden. Wir werden sehr viel zu tun haben!“

„Und wo sollen dann alle diese neuen Leute sitzen? Wir haben doch gar keine Büros mehr frei!“

„Tja, mein kluges Kind, darüber hat sich Mr. O'Connor auch schon Gedanken gemacht. Wir werden gewaltig umbauen müssen. Das ganze Erdgeschoß soll zu Büros werden. Die Kantine kommt ins Zwischengebäude, die Ambulanz zur Produktion, die Umkleideräume werden verkleinert, die Betriebshandwerker müssen zusammenrücken – na ja, und noch so einige Änderungen mehr. Das wird alles im August gemacht, während der Betriebsferien. Ich werde in dieser Zeit ja wohl in England sein, und bis ich zurückkomme, ist alles

o.k. – unsere Personal-Leitung soll übrigens auch ins Erdgeschoß kommen.
Hast du noch irgendwelche Fragen zu diesem Organigramm?"
„Wenn ich da oben nun lauter NN-Kästchen machen soll, in welche Kästchen kommen denn dann unsere jetzigen leitenden Herren?"
„In überhaupt keines! Die passen nicht in ein modernes Management. König, Frantz, Wagenseil, Specht – die können wir im Grunde alle vergessen. Das geht natürlich nicht von heute auf morgen, aber in Kürze wird mit diesen Herren über Aufhebungsverträge gesprochen werden, und dann sind sie sofort freigestellt. Wir brauchen ein junges, dynamisches Team und keine alten, festgefahrenen Typen!"
„Aber die Herren sind alle noch lange keine sechzig!" ruft Babsi empört.
„Auf jeden Fall sind sie zu alt und zu unbeweglich für das moderne Management, das wir hier aufbauen werden", versetzt Udo ungerührt. „Übrigens, der Stuhl von Dr. Mertens wackelt auch!"
„Waaas?" ruft Babsi, „Dr. Mertens ist doch einer unserer fähigsten Männer und noch nicht mal vierzig! Das kann doch nicht sein!"
Udo Baumann lächelt hintergründig.
„Gewiss, Dr. Mertens ist ein sehr kluger Kopf, zu klug, möchte man sagen. Und wenn ein Mensch zu klug ist und immer alles weiß und durchschaut, dann kann er auch unbequem werden, verstehst du? Mr. O'Connor hat jedenfalls inzwischen festgestellt, dass er lieber einen anderen Controller hätte.
Aber höre – alles, was ich dir da jetzt gesagt habe, ist natürlich topsecret! Also bitte, zu keiner Menschenseele ein Wort davon – auch nicht zu deiner komischen Freundin, dieser Petra, mit der du öfter zusammen bist!"

„Sie ist nicht meine Freundin", erwidert Babsi, „wir kennen uns halt von früher, weil wir in die gleiche Klasse gingen. Und deshalb spricht sie manchmal mit mir. Eigentlich mag ich sie gar nicht so besonders, sie ist reichlich doof."
„Soll ich sie mit auf die Abschussliste schreiben?" fragt Udo eilfertig, „sie scheint ja ohnedies nicht allzu viel zu arbeiten, und strohdumm ist sie obendrein. Und du wärst sie hier dann los!"
„Aber nein", wehrt Babsi ab, „ich möchte doch nicht, dass jemand meinetwegen seinen Arbeitsplatz verliert! – Und überhaupt, was soll das heißen: 'Abschussliste'? – Ich denke, wir expandieren stark und brauchen eine Menge neuer Leute?"
„Gewiss! Aber gerade weil wir expandieren, können wir uns lahme Enten und notorische Krankfeierer nicht mehr leisten. Ich werde mir deshalb in den nächsten Tagen die Fehlzeitenstatistik sehr genau ansehen müssen. Hoffentlich hat die Treutel diese bis dahin auch fertig! – Wo steckt die denn heute überhaupt?"
„Fräulein Treutel hat doch Sonderurlaub, weil ihre Mutter gestorben ist."
„Ach so!"
Babsi will noch hinzufügen, wie Leid einem das Fräulein Treutel jetzt tun müsse, weil sie doch so sehr an ihrer Mutter gehangen habe und nun völlig allein dastehe; aber Udo Baumann hat sich bereits umgedreht und geht nach nebenan in sein Büro. Persönliche Probleme der Mitarbeiter interessieren ihn nicht. Und in solchen Augenblicken könnte Babsi tatsächlich den schönen Udo hassen.

* * * *

„Ich weiß nicht, das Ganze wird mir langsam unheimlich", sagt Lotte Treutel einige Wochen später zu Babsi. Sie sitzt in ihrem schwarzen Kleid schmal und blass an der Schreibmaschine, mit Schatten unter den Augen und Kummerfalten im Gesicht.
„Was ist Ihnen denn unheimlich?" fragt Babsi.
„Ach, diese ganzen komischen Neueinstellungen, die da geplant sind! Da wird inseriert auf Teufel komm raus, halbe Seiten in überregionalen Zeitungen für jede Position! Und dieser Mr. O'Connor führt dutzendweise Vorstellungsgespräche – aus Hamburg, Berlin, München – von überall her kommen die Bewerber und kassieren riesige Spesen: Flugtikkets, Taxikosten, Hotelübernachtungen und so weiter. Wir haben an Inseraten und Vorstellungskosten in den letzten vier Wochen schon mehr Geld ausgegeben als vorher im ganzen Jahr!"
Babsi zuckt die Achseln.
„Wenn der O'Connor meint, dass er das für sein Top-Management braucht ..."
„Ja, wenn es dann wenigstens mal zu einer Einstellung käme! Aber der verhandelt und verhandelt, und dann verläuft alles im Sand. Anscheinend hat er an jedem Bewerber etwas auszusetzen. Und dann wird wieder neu inseriert ..."

„Gestern war übrigens mordsmäßig Stunk mit dem Betriebsrat", berichtet Babsi jetzt. „Dem Betriebsrat ist zu Ohren gekommen, dass hier im Haus große Umbaupläne bestehen, und er hat deshalb beim General Manager heftig protestiert."
„Pah, was geht das den Betriebsrat an?" meint die Treutel. „Diese Wichtigtuer hängen sich aber auch wirklich in alles rein!"
„Na ja, es gibt doch schließlich das Betriebsverfassungsgesetz", sagt Babsi, „und da steht ausdrücklich drin, dass Umbauten im Betrieb mitbestimmungspflichtig sind. Der Betriebsrat darf also nicht einfach übergangen werden. Er hat

jetzt übrigens auch verlangt, dass wir künftig alle offenen Stellen – außer den 'Leitenden' – am Schwarzen Brett aushängen!"
„Wieder eine unnötige, idiotische Arbeit mehr", versetzt die Treutel verächtlich." Mir gefällt das hier alles überhaupt nicht mehr! Früher, beim alten Chef, da war alles viel besser ... – Und dieses furchtbare Englisch! Wenn ich doch nur dem O'Connor seine Handschrift besser lesen könnte – eine Zumutung ist das! Babsi, können sie mir mal helfen? Ich komme nicht weiter mit diesem Geschmiere ..."

Sie will gerade das voll geschriebene Blatt vom General Manager zu Babsi hinüberreichen, als die Tür geöffnet wird und Udo Baumann hereinschaut. Er will etwas sagen, schließt aber nach einem kurzen Blick auf Fräulein Treutel den Mund wieder und sagt dann nur leichthin:
„Babsi, kommst du mal eben?"
Babsi nimmt Stenoblock und Bleistift und geht nach nebenan.
„Mach die Tür zu", sagt Udo, als sie, die Tür wie immer offen lassend, auf seinen Schreibtisch zugeht. Kaum sitzt sie ihm gegenüber, fährt er fort: „Du bist doch so gut im Formulieren von Zeugnissen. Kannst du mir mal ein hübsches Konzept machen?"
„Für wen denn?"
„Für mich natürlich, Schäfchen. – Du weißt schon, was da rein muss: dynamisch, einsatzstark, gutes Durchsetzungsvermögen, Experte in allen Rechtsfragen und so weiter. Ich habe zwar nicht vor, mich jemals wieder irgendwo zu bewerben, sondern mache erst mal gar nichts. Aber man kann ja nie wissen, wofür so ein Papierchen noch gut ist ..."

Babsi starrt den schönen Udo entgeistert an.
„Was heißt das, Sie machen 'gar nichts'?!"
„Nun, das bedeutet, dass ich mich auf meinen Landsitz in der Rhön zurückziehen und Pferde züchten werde, was ich schon

lange tun wollte!“ Und als Babsi ihn mit sprachlosem Entsetzen weiter anstarrt, fährt er fort: „Ich komme mit diesem O'Connor nicht zurecht. Habe ich es nötig, mich ständig wie ein dummer Junge zurechtweisen zu lassen? Da soll ich angeblich Personnel-Manager sein, habe aber nicht die geringsten Kompetenzen. In alles hängt sich dieser Mensch rein, nicht die kleinste Entscheidung kann ich selbst treffen. Alle Vorstellungsgespräche macht er allein – meine Meinung dazu wird als unnötiges Geschwätz disqualifiziert. Und meine Englandreise hat er mir auch gestrichen, einfach so – ohne Kommentar! Zeugnisse soll ich ihm vorlegen, über meinen Studienabschluß als Jurist und Personalfachmann! Ich, der langjährige Mitinhaber, der das Unternehmen besser kennt, als diese ganze amerikanische Blase, soll Zeugnisse vorlegen!!! Ich denke überhaupt nicht daran! Ich lasse mir ein Jahresgehalt auszahlen und ziehe mich zurück.“
Babsis Augen füllen sich mit Tränen. „Und was wird aus mir?“ fragt sie leise.
„Aus dir? – Na, du bleibst natürlich hier!“
„Wo?“
„Na hier, im Geschäftsleitungssekretariat! O'Connor will dich als Sekretärin. Du kannst einen gewaltigen Sprung nach oben machen, wirst sozusagen die erste Dame des Hauses.“
„Und Fräulein Treutel?“
„Die muss gehen. Die wird nicht mehr gebraucht.“

Babsi, die wegen des eigenen Geschicks eben noch in Tränen auszubrechen drohte, wird plötzlich steif vor Empörung.
„Nein, das ist eine Unmöglichkeit“, ruft sie, „und eine Gemeinheit dazu! Fräulein Treutel hat diesen Platz schon seit 25 Jahren. Und sie ist fast 50 Jahre alt und wird vielleicht gar keine andere Stelle mehr finden! Sie hat noch nicht den Tod ihrer Mutter verwunden, und wenn sie jetzt noch ihren Arbeitsplatz verliert, dann kann das tödlich sein ...“

„Na, na, na, – so schnell stirbt es sich nicht“, meint Udo, „du musst dir deine übertriebenen sozialen Gefühle abgewöhnen, Babsi, sonst kommst du nicht weit! – Natürlich ist mir auch klar, dass man dieser Dame nicht einfach so kündigen kann. Man muss ihr eben einen Aufhebungsvertrag mit ein paar Tausendern anbieten ...“
„Und damit ist dann für die Firma alles erledigt, nicht wahr?“ ruft Babsi böse. „Ein paar Tausender und fort mit dir, du wirst nicht mehr gebraucht! – Aber da spiele ich nicht mit! Niemals werde ich Fräulein Treutels Platz einnehmen, niemals! Lieber kündige ich auf der Stelle! Ich bin noch jung, ich werde immer wieder etwas finden ...“
„Babsi, mach keinen Blödsinn“, sagt Udo, „du kannst Fräulein Treutel nicht retten! Auch wenn du die Stelle nicht annimmst, muss sie trotzdem gehen. O'Connor mag sie nun mal nicht – und ich kann ihn da gut verstehen.“
„Aber warum denn? Warum mag er sie nicht? Sie ist fleißig, kennt sich gut aus in der Firma und fehlt nie!“
„Sie ist eine hysterische alte Jungfer, umständlich, schwer von Begriff und nicht bereit, Neues anzunehmen. Sie denkt, alles müsse immer so weitergehen wie anno dazumal beim alten Chef. Und – sie kann kaum Englisch. Eine Unmöglichkeit in dieser Position!“
„Das mag ja teilweise sogar stimmen“, sagt Babsi, „aber trotzdem, ich lehne diesen Platz ab. Ich werde auf keinen Fall Fräulein Treutels Nachfolgerin werden. Das kann ich auch gar nicht, denn im ganzen Haus würde es dann heißen, ich hätte die arme Treutel weggedrängt! Ich werde kündigen!“
Und jetzt kommen die Tränen mit Macht.
„Ich hatte mich doch so auf die Personalabteilung gefreut ...“
„Das kann ja auch durchaus noch werden“, beschwichtigt Udo, „diese Abteilung muss ja auf jeden Fall aufgebaut werden, und O'Connor wird schon irgendeinen Idioten finden, dessen Nase ihm passt und der dann Personnel Manager

wird. Also, Babsi, tu nichts Unüberlegtes, warte erst mal ab ..."
Babsi sieht ihn unter Tränen feindselig an.
„Sie können mich von mir aus gleich auf Ihre berühmte 'Abschussliste' setzen", sagt sie, und Udo versetzt etwas ärgerlich:
„Die soll gefälligst auch mein Nachfolger schreiben!"

Babsi erhebt sich. Sie kann mit ihrem tränenüberströmten Gesicht unmöglich zur Treutel zurück, die würde sofort fragen, was los ist. Also verlässt sie den Raum durch die andere Tür zum Gang hinaus, um sich in der Toilette erstmal frisch zu machen. Dummerweise läuft sie hierbei der kleinen Petra Müller in die Arme, die gerade ihre Postmappen vorbeiträgt. Und in Windeseile macht sich ein Gerücht im ganzen Haus breit: Die Barbara Hollmann ist weinend aus dem Büro des jungen Herrn Baumann gestürzt. Sie hat schweren Liebeskummer, denn der schöne Udo hat ihr jetzt den Laufpass gegeben! – Und nicht wenige grinsen schadenfroh und sagen: „Das geschieht ihr recht. Warum hat sie sich auch mit dem Juniorchef eingelassen? Ein anständiges Mädchen tut so etwas nicht!"

* * * *

Barbara Hollmann ist fest entschlossen, sich eine andere Stelle zu suchen. Ein erster Blick in die Stellenanzeigen der Zeitung scheint auch zu bestätigen, dass dies wenig problematisch ist. Es werden viele Sekretärinnen gesucht. Der zweite Blick offenbart dann aber schon einige Schwierigkeiten. Nicht jede Stelle bietet Arbeit in einem Sachgebiet, für das man sich auch wirklich interessiert. Und manche verlockend klingende Angebote müssen ausscheiden, weil die Firmen zu weit entfernt sind von Babsis Wohnung.

Die ersten drei Bewerbungsversuche sind Fehlschläge. Einmal ist man der Meinung, dass Babsi für den begehrten Platz einer Chefsekretärin noch zu jung sei. Bei den beiden anderen Angeboten sagt sie selbst ab: beim einen ist die Bezahlung zu schlecht, beim anderen der Arbeitsplatz in der dunklen Ecke eines Großraumbüros zu unschön. Aber bei der vierten Bewerbung scheint dann alles bestens zu sein. Gehalt gut, Lage gut, Aufgabengebiet reizvoll: Sekretärin des Personalleiters. Dieser ist bei der Vorstellung außerordentlich gesprächig, zu gesprächig, findet Babsi. Aber er ist sehr freundlich und sagt, er habe einen guten Eindruck von ihr, sie könne eigentlich fest damit rechnen, seine Mitarbeiterin zu werden, spätestens nächste Woche bekäme sie Bescheid. Leider Gottes seien vorher noch einige andere Vorstellungen – nur reine Routinesache. Babsi kennt das Spiel. Es genügt ihr, erst in einer Woche Bescheid zu bekommen. Es ist jetzt Mitte Juli, und bis Mitte August kann sie kündigen. Ab 01. Oktober wird sie dann die neue Stelle antreten. Und sie freut sich darauf.

Es ist ein sonderbares Gefühl, wenn man genau weiß, dass man kündigen wird, und man sitzt mit diesem Geheimnis wie immer auf seinem Arbeitsplatz und arbeitet, als wenn nichts wäre ...

Babsi ist nervös und innerlich angespannt. Was wohl alle sagen werden, wenn sie ihre Kündigung auf den Tisch legt? Verstohlen blickt sie hinüber zum anderen Schreibtisch, wo die Treutel verbissen mit den unleserlichen Englischtexten des Mr. O'Connor ringt. – Die weiß immer noch nichts davon, dass man ihr bald den Stuhl vor die Tür setzen wird ...
Überhaupt hat sich bis jetzt im Unternehmen noch nicht viel geändert. Die vielen neuen Manager, die kommen sollen, sind noch nicht da. Und die alten, die gehen sollen, sind noch nicht fort. Nur der schöne Udo ist bereits gegangen. Babsi musste für ihn noch einen „Aufhebungsvertrag" schreiben.

Plötzlich wird Babsi zum General Manager gerufen. Mr. O'Connor bittet sie ganz besonders höflich, Platz zu nehmen, und sagt dann mit seinem amerikanischen Akzent:
„Miss Hollmann, da hat mich heute gerufen by phone der Personnel-Manager von Firma Keßler & Co. Er hatte questions über Sie – er wollte wissen, warum Sie gehen fort von uns und wie waren gewesen Ihre Leistungen. Of course, I was very surprised – Sie werden verstehen, dass ich habe gestaunt? Und ich habe gesagt zu diesem Herrn, dass ich nicht wünsche, wenn Sie gehen fort aus diesem Haus, und dass Sie sind eine excellent Sekretärin. – Was muss ich tun, damit Sie bei uns bleiben?"

Babsi kocht innerlich vor Wut. Dieser geschwätzige Idiot! Und so etwas will Personalleiter sein! Benimmt sich wie ein Elefant im Porzellanladen ...
„Ich weiß noch gar nicht, ob ich weggehen will", sagt sie vorsichtig, „ich weiß nur eines: ich möchte in diesem Haus auf keinen Fall die Nachfolgerin von Fräulein Treutel werden."
„Wie soll ich das verstehen?"
„Mr. O'Connor, solange ich hier im Haus bin – das sind beinahe fünf Jahre – habe ich mit Fräulein Treutel zusammen-

gearbeitet. Wenn sie nun fort müsste und man würde mich an ihre Stelle setzen, dann wäre mir das unerträglich. Alle im Hause würden sagen, ich hätte Fräulein Treutel weggedrängt!"
Der General Manager antwortet geraume Zeit gar nichts, sondern betrachtet stattdessen interessiert seine Fingernägel. Dann sagt er unvermittelt:
„Sie kennen nicht unsere neuen Dispositionen. Herr Dr. Mertens wird ab next month nicht mehr bei uns sein. Es wird kommen ein neuer Controller direkt aus Amerika und er wird bringen mit seine own secretary. So die junge Dame bei Dr. Mertens wird frei sein – what's her name?"
„Fräulein Ostendorf!"
„Well. Miss Ostendorf wird werden meine secretary und wird sein replacement für Miss Treutel. Also können Sie vergessen Ihre Sorge. Next month wird kommen auch ein neuer Personnel-Manager, Herr Fröhlich. Er wird sein, I hope, a very good Personnel-Manager. Aber er muss haben eine very good secretary, und sie muss gut kennen diese Firma und alle Leute. Für Personnel-Arbeit man muss kennen die Leute – right? Und ich wünsche, dass Sie werden sein diese secretary. How old are you and what is your salary now?"
„Ich werde im Oktober 22 Jahre alt und verdiene jetzt 1400 Mark im Monat", antwortet Babsi.
„Well, Sie werden haben ab next month 1600 Deutschmark, wenn Sie nehmen diesen Job. Wie ist Ihre Antwort?"
Babsi überlegt nicht lange.
„Gut", sagt sie, „ich werde bleiben!"
„O.k., dann können wir beginnen mit wichtiger Arbeit. Sie können schreiben vier Aufhaltungsverträge – oder wie sagt man?"
„Meinen Sie 'Aufhebungsverträge' – so, wie ich für Herrn Udo Baumann einen geschrieben habe?"
„Exactly! Sie können schreiben diesen Text für Dr. Mertens, und dann für Treutel, Specht, König und Frantz. Aber es soll

noch nicht stehen darin, wie viel money wir werden zahlen, ich muss erst sprechen mit diesen Leuten, you know? Ich muss haben Vertrag von Dr. Mertens noch diese Woche, die anderen next Week, o.k.?“
Damit ist dieses Gespräch beendet.

Als Babsi an ihren Schreibtisch zurückkommt, will sie sich sofort an die Arbeit machen. Aber da wirft Lotte Treutel plötzlich wütend das englische Konzept des General Managers vor sich hin und ruft laut:
„Ich werde kündigen!“
Babsi blickt erschrocken auf.
„Um Himmels willen, Fräulein Treutel, das kann doch nicht Ihr Ernst sein! Machen Sie keine Dummheiten!“
„Dummheiten? Das ist das Klügste, was ich tun kann! Ich habe es satt hier, alles habe ich satt! Diese verfluchten englischen Texte, die ich nicht verstehe, mit einer Sauklaue geschrieben, die ich nicht lesen kann! Ich mache das nicht mehr länger mit, ich habe so etwas nicht nötig!“
„Fräulein Treutel“, ruft Babsi beschwörend, „Sie dürfen nicht kündigen! Alles, nur das nicht! – Oder haben Sie schon eine andere Stelle?“
„Darum ist mir nicht bange. Ich werde schon etwas finden. Ich bin zwar nicht mehr die Jüngste, aber ich kann mehr und schneller arbeiten als zwei junge Gänse zusammen! Ich werde meine Kündigung heute noch abgeben!“
„Bitte, Fräulein Treutel, tun Sie das nicht! Überlegen Sie doch: Wenn Sie dann doch nicht gleich Arbeit finden, kriegen Sie noch nicht mal Arbeitslosengeld, weil sie selbst gekündigt haben! Das Arbeitsamt sperrt Sie dann aus …“
„Bilden Sie sich etwa ein, ich würde jemals um Arbeitslosengeld betteln? Mein Leben lang habe ich so etwas nicht nötig gehabt! Ich kann arbeiten, wenn man mich nur richtig arbeiten lässt. Ich werde kündigen!“

Babsi holt tief Luft. Sie muss deutlicher werden:
„Fräulein Treutel, ich darf es Ihnen eigentlich nicht sagen, aber Sie erfahren es ja doch. Ich habe den Auftrag, für Sie einen Aufhebungsvertrag zu schreiben, damit das Arbeitsverhältnis im beiderseitigen Einvernehmen gelöst werden kann, und …"
„Waas?! Im beiderseitigen Einvernehmen?! Ich denke überhaupt nicht daran, so etwas jemals zu unterschreiben! Dann kommt das auch noch in mein Zeugnis, und jeder, der das liest, sagt sich 'aha, sie ist nicht auf eigenen Wunsch gegangen, sondern im beiderseitigen Einvernehmen – da war also irgendetwas faul.' Nein, nein, so etwas kommt für mich überhaupt nicht in Frage!"
„Fräulein Treutel, nehmen Sie doch Vernunft an! Mit dem Aufhebungsvertrag bekommen Sie eine Menge Geld! Wenn Sie klug sind beim Verhandeln, können Sie ein ganzes Jahresgehalt herausholen, und das sogar netto, nicht brutto! Stellen Sie sich vor, was Sie mit dem Geld alles anfangen können ..."
„Ich lasse mich nicht bestechen! Ich habe es nicht nötig, mit diesen neuen Herren zu verhandeln! Ich werde selbst kündigen!"
„Himmelherrgott noch mal! Seien Sie doch nicht so furchtbar dämlich!!"
Die Treutel reißt ihre Quellaugen weit auf.
„Was haben Sie gesagt? Ich bin dämlich?! Sie Rotznase,Sie! Ich könnte Ihre Mutter sein! Jawohl! Und wie eine Mutter habe ich Sie auch immer behandelt, seitdem Sie hier bei mir sitzen. Und jetzt sagen Sie, ich sei dämlich!"
„Jawohl!!" schreit jetzt Babsi, so laut sie kann. „Sie sind dämlich! Und nicht nur dämlich, sondern saudumm dazu, wenn Sie jetzt selbst kündigen, anstatt sich für Ihre 25 Jahre hier gehörig abfinden zu lassen!"

Die Treutel erhebt sich von ihrem Platz. Fast feierlich öffnet sie ihre Schreibtischschublade, entnimmt einen Umschlag und hebt ihn in die Höhe.
„Dies hier ist meine Kündigung“, sagt sie. „Ich habe sie schon vor zwei Tagen geschrieben und kein Mensch kann mich jetzt davon abhalten, sie abzugeben. Sie, mein armes Kind, am allerwenigsten!“
„Dann sprechen Sie doch wenigstens vorher noch mit dem Betriebsrat!“ Babsi kann nur noch stöhnen.
Die Treutel stößt ein schrilles Lachen aus.
„Ich soll mit dem Betriebsrat sprechen?! Mein Leben lang habe ich mit diesen Leuten nichts zu tun gehabt! Nie und nimmermehr!“
Hoch erhobenen Hauptes geht sie nach nebenan zum General Manager. Fassungslos ringt Babsi die Hände.

Es geht dann alles sehr schnell. Mr. O'Connor kommt mit Fräulein Treutel ins Sekretariat und sagt sehr förmlich und mit unbewegtem Gesicht zu Babsi:
„O.k., Mrs. Treutel hat gekündigt zum nächsten Termin. Wir nehmen diese Kündigung an. Bitte schreiben Sie eine Bestätigung, dass wir sind bereit, Mrs. Treutel sofort freizustellen, und sie wird bekommen ihr Money bis zum Ende der Frist.“
Babsi nickt mit zitternden Lippen. Sie ist unfähig zu sprechen und bringt nur mit großer Mühe die wenigen Zeilen in die Schreibmaschine. In der Zwischenzeit räumt Lotte Treutel schweigend und mit verbissener Miene ihre Habseligkeiten zusammen. Grußlos und immer noch hoch erhobenen Hauptes verlässt sie schließlich den Raum und die Firma.

Mr. O'Connor kommt nochmals herein. Lachend reibt er sich die Hände :

„Wonderful! Really wonderful! Sie sind wirklich eine excellent secretary! Wie haben Sie fertig gebracht, dass diese Dame nun hat gekündigt by herself?"
Babsi reißt ihre blauen Augen weit auf.
„Ich?! Aber – aber ich doch nicht!" flüstert sie.
Irritiert schaut er sie an.
„O.k., ich glaubte zu hören, dass Sie haben gestritten mit dieser Dame. Aber es ist alles sehr gut so – wonderful!"
Hoffnungsvoll fügt er hinzu:
„Vielleicht kommen die anderen Leute auch noch und werden kündigen?"
Babsi schweigt. Mr. O'Connor blickt eine Weile prüfend in ihr blasses, verschlossenes Gesicht und trommelt dabei mit den Fingern auf den leeren Schreibtisch der Treutel.
Dann sagt er plötzlich munter:
„Gehen Sie für heute nach Hause! Ich glaube, Sie sollten haben etwas Ruhe, Sie sehen nicht wohl aus. Morgen werden Sie besser arbeiten können!"

* * * *

Der Monat August bringt sehr viele Veränderungen für die Feinkostwerke Fritz Baumann GmbH. Zunächst einmal bekommt das Unternehmen ganz plötzlich einen neuen Namen. Man nennt sich jetzt „Feinkostwerke Baumann, Zweigniederlassung der Europäischen Feinkost-Union." Neue Briefbogen werden gedruckt und in den Büros verteilt, denn die alten dürfen nicht mehr verwendet werden. Aber auch von den neuen wandert zunächst manches Blatt – mit Ärger zusammengeknüllt – in den Papierkorb, denn es dauert eine Weile, bis alle Schreibkräfte des Hauses sich an die neue Firmierung gewöhnt haben und nicht mehr versehentlich die altgewohnte Form unter die Briefe schreiben.
In der Europäischen Feinkost-Union, kurz EFU genannt (und wiederum zur amerikanischen GWFO gehörend), sind alle europäischen „Schwestern" (und Töchter der GWFO) vereint:
Eine Fleischfabrik in Belgien, ein Fischwerk in Frankreich, eine Gebäckfabrik in Holland, ein Käsewerk in Dänemark, eine Gemüsekonservenfabrik in Italien. Diese neuen Verbindungen werden den Mitarbeitern am Schwarzen Brett bekannt gegeben. Die meisten von ihnen können mit dieser Neuigkeit nicht allzu viel anfangen. Sie lesen den Aushang, gehen achselzuckend weiter und verrichten ihre Arbeit wie immer. Aber es gibt auch einige, denen die neue „Verwandtschaft" ungeheuer wichtig erscheint. So zum Beispiel Herr Knab aus der Abteilung Einkauf, der jedem eifrig kundtut, wie stolz man doch nun sein müsse, zu einer „so großen Familie" zu gehören. – Immerhin scheint ihm die „neue Zeit" tatsächlich einen Aufschwung zu bringen, denn zur großen Überraschung aller im Hause wird Herr Knab von Mr. O'Connor ganz plötzlich zum neuen Einkaufsleiter ernannt, nachdem – genauso plötzlich – der langjährige Inhaber dieses Platzes nicht mehr da ist.

Noch im Juli hatte Mr. O'Connor – die von Babsi vorbereiteten Aufhebungsverträge zur Hand – mit den „alten Leitenden" aus der Ära Fritz Baumann Gespräche geführt. Babsi hatte mit Schwierigkeiten gerechnet. Aber irgendwie vermochte der General Manager das Gespräch jeweils so zu lenken, dass alles überraschend glatt über die Bühne ging. Die Herren Frantz, König und Specht schienen sogar recht zufrieden, verabschiedeten sich leutselig und wurden nicht mehr gesehen. Zugegeben, die Aufhebungsverträge waren nicht von Pappe. Babsi wurde leicht schwindlig, als sie die Abfindungsbeträge in die dafür freigelassenen Stellen einsetzte, und selbst Mr. O'Connor sagte mit nachdenklicher Miene: „Next action wir müssen sein hart! Soviel money werden wir nicht immer bezahlen!"

Jetzt, im August, gleicht das ganze Unternehmen einer einzigen Baustelle. Es sind Betriebsferien, die Produktion steht still, und alle Produktionsarbeiter sowie viele andere Mitarbeiter des Hauses sind in Urlaub. Die Zurückgebliebenen haben Grund zu klagen, denn es wird sehr ungemütlich. Überall wird geklopft und gehämmert, ganze Wände werden eingerissen, neue errichtet. Die Nerven werden von Lärm und Schmutz strapaziert, und an geregelte Arbeit ist ohnedies nicht zu denken, denn es gibt fast kein Büro, das nicht in andere Räume umziehen muss. Die Betriebshandwerker sind tagelang beschäftigt, Schreibtische, Aktenschränke, Büromaschinen und vieles andere mehr durch Gänge und Korridore zu schleppen und von Stockwerk zu Stockwerk zu transportieren. Es geht viele Tage sehr chaotisch zu, Leitungen müssen verlegt werden, keine Telefonnummer stimmt mehr.
Petra Müller ist völlig verwirrt, und es dauert sehr lange, bis sie sich endlich wieder zurechtfindet und weiß, wo die einzelnen Postmappen abgegeben werden müssen – zumal jetzt auch noch neue Büros dazukommen, mit komischen Namen, die sie noch nie gehört hat.

Sie fragt Babsi, was denn „Marketing“ sei, und Babsi meint, das sei so etwas Ähnliches wie Werbung.
Petras Augen leuchten auf.
„Kommen wir dann auch ins Werbefernsehen?“ fragt sie gespannt, und Babsi antwortet:
„Bei den neuen Managern ist alles möglich!“

Der Betriebsrat hatte sich lange und verbissen gegen einzelne Umbaupläne gewehrt. Am heftigsten protestierte er gegen die Umwandlung der schönen, erst renovierten Kantine in Büroräume und gegen die Verlegung in das schmale Seitengebäude.
„Diese Räumlichkeiten sind doch viel zu klein als Kantine!“ wetterte Herr Korn, „nicht mal ein Drittel der Belegschaft kann da Platz finden!“
„Wir können es uns nicht leisten, wertvolle Betriebsräume nur kurze Zeit am Tag für die Mahlzeiten der Mitarbeiter zu benutzen!“ konterte Betriebsingenieur Hafner, den Mr. O'Connor beauftragt hatte, „mit aller Härte diese Planungen durchzusetzen“.
„Sollen die Leute etwa im Stehen essen, weil zum Sitzen kein Platz mehr ist?“ schnaubte Herr Korn.
„Wir werden die Pausen für die einzelnen Abteilungen etappenweise festlegen, dann findet jeder einen Platz.“
„Und dann haben wir genau das, was der Betriebsrat immer vermeiden wollte: Die Unterteilung der Pausen nach Klassen! Arbeiter und Angestellte getrennt – das ist ein sozialer Rückschritt, den wir nicht hinnehmen werden!“
„Haben Sie schon jemals einen Arbeiter und einen Angestellten zusammen an einem Tisch essen sehen?“
Nein, das hatte auch der Betriebsrat noch nicht gesehen. Der Umbau konnte beginnen.

* * * *

Babsi erhält im Parterre des Hauptgebäudes ein hübsches, kleines Büro, das „Personalsekretariat". Gleich nebenan sitzt ihr neuer Chef, der Personalleiter Klaus Fröhlich. Er ist ein netter, recht gut aussehender und umgänglicher Mann in mittleren Jahren, und Babsi bereut es nicht, im Unternehmen geblieben zu sein. Sie ist voll damit beschäftigt, neue Personalakten anzulegen und vielerlei Listen und Statistiken anzufertigen, wie sie Herr Fröhlich haben will. Er scheint wirklich etwas von Personalorganisation zu verstehen und langsam kommt System in Babsis neues Aufgabengebiet.
Bis zum Jahresende ist Mr. O'Connors „Top-Management" komplett. Babsi kann nun die Namen der „Manager der ersten Ebene" in die leeren Kästchen des Organigramms eintragen, nachdem sie jeweils sorgfältig das „NN" entfernt hat. Auch der Controller aus Amerika, Mr. Walter Smith, sowie seine Sekretärin Rosalind Brown sind inzwischen eingetroffen. Für diese „Executives" ist die „Teppichabteilung" um eine große Anzahl Räume erweitert worden, fast im ganzen ersten Obergeschoss wandelt man nun auf weichen Teppichen. Ein Innenarchitekt war bemüht worden, um die einzelnen Büros würdig auszustatten. Schwere Klubsessel und dazugehörige Rauchtische, runde Chef-Schreibtische, teuere Lampen und Gardinen und vieles andere mehr schaffen die erwünschte exklusive Atmosphäre. Die jeweiligen Sekretärinnenzimmer sind weniger aufwendig, aber doch recht hübsch eingerichtet.

Die Top-Manager sind dynamische Herren im besten Alter „mit Durchsetzungsvermögen und Kooperationsbereitschaft." Jeder von ihnen stellt auf seinen Schreibtisch das Bild seiner geliebten Gattin und – falls vorhanden – auch von den entzückenden Kindern. Man muss schließlich sehen, wofür man hart arbeitet. Angelika Ostendorf, die inzwischen das ebenfalls neu eingerichtete Sekretariat des General Managers übernommen hat, bekommt den Auftrag, stets dafür zu sor-

gen, dass immer genügend Zigaretten und geistige Getränke im Hause sind – schließlich arbeiten diese Herren oftmals bis spät in die Nacht hinein und brauchen solche Arbeitshilfen deshalb sehr nötig.
Im nahe gelegenen Appartementhaus „Excelsior“ sind für die Herren exklusive Zimmer gemietet worden, denn die meisten kommen von weit her. Ein Maklerbüro ist nun eifrig bemüht, in den besseren Wohngegenden der Stadt Wohnungen und Häuser zu suchen, damit die Herren ihre liebe Familie bald nachkommen lassen können und nicht jedes Wochenende mit dem neuen Firmenwagen, der ihnen selbstverständlich auch zur privaten Nutzung zur Verfügung gestellt worden ist, eine strapaziöse Heimfahrt antreten müssen.

Babsi soll für die neuen Manager Personalakten anlegen.
„Die kommen dann in meinen Schreibtisch“, sagt Herr Fröhlich, „denn die sind wirklich topsecret!“
„Aber wo sind die Bewerbungsunterlagen von den Herren?“ fragt Babsi.
Jede Akte soll schließlich nach einer genau festgelegten Ordnung erstellt werden – zuunterst die Zeugnisse über Ausbildung und frühere Tätigkeiten, darauf der Lebenslauf, danach der Anstellungsvertrag und der etwaige dazugehörige Schriftwechsel, ganz oben ein Deckblatt mit den wichtigsten Daten und der Gehaltsentwicklung des Mitarbeiters. Später hinzukommende Schriftstücke kommen der Reihe nach jeweils unter das Deckblatt. Außer den Verträgen hat Babsi von diesen Herren absolut nichts in der Hand.
„Ach so“, sagt Herr Fröhlich, „da muss ich die Herren mal gelegentlich fragen, ob sie uns noch was geben können. Sie können aber hier die Exposés von Herrn Mohlbrugg mit einheften. An sich ist es gar nicht üblich, dass man bei Einstellung über Headhunter noch zusätzliche Unterlagen anfordert.“
„Einstellung über was?“ fragt Babsi verdutzt.

„Über Headhunter! – Sie kennen das nicht? Nun, das ist eine besondere Art von Personalservice. Man benutzt den Headhunter hauptsächlich, wenn Führungspositionen zu besetzen sind. Nachdem Mr. O'Connor mit seinen eigenen Insertionen nicht richtig weiterkam, hat er eben Herrn Mohlbrugg, einen der erfolgreichsten Headhunter, eingeschaltet."
„Ein ulkiges Wort", meint Babsi, „zu Deutsch heißt das doch Kopfjäger'!"
„So etwas Ähnliches ist das ja auch", sagt Herr Fröhlich. „Der Headhunter sucht die Leute meist nicht per Insertion, sondern wendet sich direkt an sie. Er lässt sich vom Auftraggeber ein ganz genaues Anforderungsprofil geben und geht praktisch in die Firmen hinein, um den genau passenden Mann anzusprechen."
„Aber das ist doch Abwerbung!" ruft Babsi empört.
„Gewiss – aber wenn man es genau nimmt, ist doch auch jede Stellenanzeige in der Zeitung eine Abwerbung, denn man will damit ja nicht irgendeinen Arbeitslosen, sondern den qualifizierten Fachmann ansprechen, der sich eventuell verändern und verbessern will. Beim Headhunter ist insoweit ein Unterschied, als er bereits ganz bestimmte Personen gezielt anspricht. Er muss dann natürlich exzellente Bedingungen anbieten, was Gehalt und Position anbetrifft, damit er diesen 'Kopf' auch wirklich einfangen kann!"
„Das sind aber auch tolle Bedingungen!" meint Babsi und blättert in den Verträgen. „Wissen Sie, Herr Fröhlich, auch wenn das noch so ein hoher Manager ist – ich finde es einfach ungerecht, wenn ein einzelner Mensch im Monat so viel verdient wie fünf oder gar acht Arbeiter hier im Haus zusammen!"
„Aber, aber, Fräulein Hollmann, was sind das für revolutionäre Gedanken!" sagt Herr Fröhlich lachend, doch dann setzt er mit ernster Miene hinzu:
„Ein solches Urteil steht uns überhaupt nicht zu! Sie dürfen nicht vergessen, was die Manager für eine ungeheure Ver-

antwortung tragen! Von ihnen hängen Wohl und Wehe des ganzen Unternehmens ab! Sie sind es, die mit ihren Ideen, mit ihrer Kreativität und ihren Entscheidungen dafür sorgen, dass wir wettbewerbsfähig bleiben und jederzeit Gewinne machen. Man kann das mit der Arbeit des kleinen Mannes überhaupt nicht vergleichen. Der macht eben acht Stunden am Tag das, was ihm aufgetragen wurde. Natürlich soll er das auch möglichst gut machen, denn für schlechte Arbeit will kein Unternehmen etwas bezahlen. Aber nach acht Stunden ist der kleine Mann fertig und genießt seinen Feierabend. Muss er wirklich mal länger arbeiten, bekommt er hohe Überstundenzuschläge. Der Manager kennt keinen Achtstundentag!
Und wenn der kleine Mann bei seiner Arbeit einen Fehler macht, dann ist das zwar ärgerlich und, je nach Stellung, unter Umständen auch mehr oder weniger kostspielig. Aber kein Fehler des kleinen Mannes ist im Allgemeinen so schlimm, als dass er nicht wieder irgendwie bereinigt oder aufgeholt werden könnte. Macht ein Manager einen Fehler, so kann das die absolute Katastrophe bedeuten! – Also bitte, Fräulein Hollmann, keine solchen Vergleiche mehr!"
Babsi nickt friedfertig. Sie weiß, dass sie jetzt nichts mehr sagen darf und dass sie das alles vielleicht wirklich nicht genau beurteilen kann. Aber so ganz überzeugt ist sie nicht.
„Gebe Gott, dass diese Top-Manager wenigstens nie einen Fehler machen!" denkt sie, während sie die exklusiven Personalakten fertig stellt und dann Herrn Fröhlich auf den Schreibtisch legt.

* * * *

Ein gutes Jahr ist vergangen, seitdem das Top-Management seinen Einzug in die Feinkostwerke Baumann gehalten hat. Jeden Montag ist im vornehmen Konferenzraum „Management Meeting“, was oftmals stundenlang andauert. Die Sekretärinnen sind angewiesen, diese Sitzungen nur in äußersten Notfällen zu stören – alles muss „abgewimmelt“ werden, jedes Telefonat, denn die Herren haben sehr Wichtiges zu besprechen. Sie sind alle außerordentlich kreativ und lassen sich stets von noch kreativeren, außerbetrieblichen Beratern inspirieren. Sie entwickeln kühne Strategien und können jederzeit mit eindrucksvollen Planungszahlen aufwarten. Selten sind sie alle gleichzeitig im Hause, denn ihr Management-Wirkungskreis geht natürlich über die engen Mauern des Unternehmens hinaus. Auch versäumen sie nicht, sich laufend zum Wohle der Firma in Management-Seminaren weiterzubilden. Die Sekretärinnen müssen oft darauf hinweisen, dass ihr Chef gerade „auf Geschäftsreise“ ist, und sie sind in der Erstellung von Spesenabrechnungen alsbald außerordentlich geübt.

Große Dinge werfen ihre Schatten voraus. Der Controller macht darauf aufmerksam, dass man leider im vergangenen Jahr keinen Gewinn gemacht habe. Trotz gesteigerter Produktion seien die Ausgaben größer gewesen als die Einnahmen. Das sei ein ungesundes Verhältnis, das der schnellen Korrektur bedürfe. In Amerika erwarte man endlich positive Zahlen ...

Mr. O'Connor nimmt diesen Hinweis nicht allzu tragisch. Optimismus ist das Gebot der Stunde, und es ist schließlich überall bekannt – auch in Amerika – , dass zunächst einmal kräftig investiert werden muss, ehe die dicken Gewinne fließen.

Natürlich hat es im vergangenen Jahr auch einige ärgerliche Zwischenfälle gegeben, die unnötig Kosten verursachten. Zwei der Top-Manager waren nach einem halben Jahr bereits wieder gegangen. Der eine, der Export-Manager, war von einem Headhunter mit einem Top-Angebot abgeworben worden. Der andere, der Quality-Manager, erwies sich trotz des vielversprechenden Exposés vom Headhunter als eine Fehlbesetzung, die nicht das erforderliche „Know-how" für diese Position mitbrachte. Der Export-Manager ging sofort und ohne Frist. Dem Quality-Manager musste man noch ein halbes Jahr Freistellung bezahlen, da er, wie alle anderen hohen Herren, eine Kündigungsfrist von einem halben Jahr hatte. Immerhin günstig, dass man beiden Herren keine Abfindung zahlen musste. Aber wie ärgerlich, dass man ihnen die vollen Umzugskosten nebst Umzugsnebenkosten bezahlt hatte! Und die neuerliche Suche und Einstellung der Ersatz-Manager war auch nicht gerade billig gewesen ...

Mr. O'Connor stellt fest, dass es jetzt an der Zeit ist, an Sparsamkeit zu denken, und er bittet die anwesenden Herren um Vorschläge, wie man das negative Zahlenbild möglichst schnell positiv beeinflussen könne. Top-Manager wissen natürlich auch hierauf Antworten. Man müsse vor allen Dingen darauf achten, meinen sie, dass die Löhne nicht noch mehr davonlaufen. Das sei das Grundübel eines jeden Unternehmens, dass es so hohe Löhne bezahlen müsse. Bei der nächsten Tariferhöhung müsse man deshalb sehr vorsichtig sein bei der individuellen Überprüfung. Arbeiter und Angestellte müssten schließlich einsehen, dass nur durch Bescheidenheit in ihren Ansprüchen der Arbeitsplatz gesichert sei.
In diesem Zusammenhang weist der Personnel-Manager noch darauf hin, dass es jetzt auch dringend an der Zeit sei, die außertariflichen Gehälter der Top-Manager zu überprüfen und leistungsgerecht zu erhöhen, denn schließlich seien die Herren nun über ein Jahr hier und es sei in dieser Richtung noch nichts geschehen. Die Runde nickt beifällig.

Es folgen weitere konstruktive Vorschläge. Der Sales-Manager meint, man werde die Preislisten überarbeiten und ab nächstem Quartal eine neue Liste mit entsprechenden Erhöhungen herausbringen. Man verkaufe noch zu den gleichen Preisen wie im Vorjahr, die Anpassung sei schon überfällig, man sei die ganze Zeit zu kulant gewesen.
Der Marketing-Manager fügt hinzu, dass man jetzt mit der Entwicklung von vier grandiosen neuen Produkten nahezu fertig sei. Die Versuche in der Test-Küche seien außerordentlich erfolgreich gewesen, und die Produktion könne alsbald anlaufen: „Frucht-Überraschung" in der Abteilung Desserts, „Traumsalat" in der Abteilung Salate, „Fantastika-Sauce" in der Abteilung Saucen und „Lukullus-Beilage" in der Abteilung Beilagen. Das werde den Umsatz in Zukunft gewaltig steigern, und die Verpackungsentwürfe für diese Neuentwicklungen seien außerordentlich attraktiv. Man habe auch sehr zügig die notwendigen Werbemaßnahmen in die Wege geleitet: Zunächst werde ein Flugzeug acht Tage lang je eine Stunde über der Stadt kreisen, immer zwei Tage lang mit einem neuen Produktnamen im Schlepp. Man habe hierzu außerordentlich günstige Konditionen aushandeln können. Später werde man vielleicht noch ins Werbefernsehen gehen ...
Der Operations-Manager weist darauf hin, dass die Produktion bedeutend effektiver und gewinnträchtiger arbeiten könne, wenn man an jedem Platz die richtigen Leute habe. Aber der jetzige Einkaufsleiter sei ein Schwachkopf, und der Leiter der Arbeitsvorbereitung habe wenig Ahnung ... An kooperative Zusammenarbeit sei da nicht zu denken.
Mr. O'Connor blickt interessiert auf.
„Die Herren Knab und Korn?! – Sofort entlassen!"
Der Personnel-Manager meldet Bedenken.
„Kündigen geht da nicht so ohne weiteres. Dieser Knab ist schon fast zehn Jahre im Haus."
„Aber der Mann ist unfähig!" ruft der Operations-Manager hitzig. „Er ist nicht imstande, dafür zu sorgen, dass die

Rohware und andere Materialien immer so rechtzeitig da sind, dass die Produktion reibungslos laufen kann. Außerdem ist sein Kostendenken katastrophal! Ich habe schon mehrmals erlebt, dass er einen höheren Preis akzeptiert hat, nur weil er eine Ware woanders schneller bekommen konnte!"
„Unmöglich", nickt die Runde übereinstimmend, „dieser Mann muss schnellstens weg!"
„Wir werden niemals beim Betriebsrat durchsetzen können, dass ihm gekündigt werden darf", sagt der Personnel-Manager. „Und eine Kündigung bei Widerspruch des Betriebsrats ist gefährlich. Der Bursche geht dann glatt aufs Arbeitsgericht, und es kann uns passieren, dass wir ihn dann weiterbeschäftigen müssen!"
„Also Aufhebungsvertrag", sagt Mr. O'Connor. „Sie müssen aber zusehen, dass das nicht kommt zu teuer. – Aber was ist mit dem anderen Mann aus der Arbeitsvorbereitung?"
Der Personnel-Manager schüttelt entschieden den Kopf.
„Unmöglich, den jemals loszukriegen. Der ist doch Betriebsratsvorsitzender! Völlig unkündbar! Höchstens fristlos, aus besonderem Grund – aber da müsste er schon geklaut oder jemanden erschlagen haben! Nein, da sehe ich keinerlei Chancen!"
„Aber es muss doch möglich sein, einen unfähigen Mann von seinem Platz zu entfernen und durch einen besseren zu ersetzen!"
„Wir müssten ihm erst einmal beweisen können, dass er tatsächlich unfähig ist! So etwas ist immer sehr schwierig – er hat diese Position schon seit mehr als zehn Jahren, und man hatte früher anscheinend nie Beanstandungen. Dazu kommt, dass er ein glänzendes Zwischenzeugnis in der Hand hat, das eine wahre Lobeshymne darstellt. Ich habe das in seiner Akte gesehen. Das hat er sich von dem alten Seniorchef noch ausstellen lassen – ganz schön raffiniert, dieser Kerl! „
„Ich betone nochmals", ruft der Operations-Manager aufgeregt, „der Mann ist in dieser Position unhaltbar! Seine anti-

quierten Planungen entsprechen nicht den heutigen Erfordernissen!"

„Es gäbe eventuell eine Möglichkeit, ihn von diesem Stuhl wegzubekommen", sagt der Personnel-Manager langsam und nachdenklich. „Wir haben jetzt 280 Mitarbeiter. Wenn wir unseren Personalstand um 20 auf 300 aufstocken würden, dann müsste das Unternehmen laut Betriebsverfassungsgesetz den Betriebsratsvorsitzenden zur hauptamtlichen Tätigkeit freistellen. Auf diese Art und Weise könnten wir den erwünschten Wandel sehr elegant herbeiführen."
Hm", Mr. O'Connor stützt gedankenvoll den Kopf in die Hand, „zwanzig Arbeitnehmer mehr, das bedeutet aber auch zwanzig Löhne mehr ..."
„Eine Aufstockung des Personalstandes ist im Sinne der geplanten Expansion ohnedies erforderlich", meinen die Top-Manager übereinstimmend.
„Meine Sekretärin braucht dringend noch mindestens eine zusätzliche Schreibkraft", meldet der Marketing-Manager, „sie ist total überlastet! Es besteht Abwanderungsgefahr, wenn hier nicht bald Abhilfe geschaffen wird!"
„Auch im Labor brauche ich noch mindestens einen Laboranten", wirft der Quality-Manager ein.
„Und im Versandlager nimmt die Sonderverpackung einen immer breiteren Raum ein. Wenn jetzt noch die neuen Produkte hinzukommen, müssen mindestens acht Packer zusätzlich eingestellt werden – auch im Hinblick auf die immer umfangreicher werdende Konfektionierung!" meldet der Sales-Manager.
„O.k.", sagt Mr. O'Connor nach einigem Zögern zum Personnel-Manager, „stocken Sie auf 300 auf, und wenn es nur vorübergehend ist! Ist dieser Mensch erst einmal von seinem Platz weg, dann werden wir zu verhindern wissen, dass er jemals wieder darauf kommen wird ..."

Das Meeting ist beendet. Es war wieder einmal sehr konstruktiv gewesen.

* * * *

Babsi ist nicht wenig überrascht, als sie plötzlich einen Aufhebungsvertrag für Herrn Knab schreiben soll.

„Aber wieso denn das? Ich denke, er ist hier der Größte!"

„Tja, so etwas kann sich schnell ändern", meint Herr Fröhlich, „es war sicherlich ein Fehler, ihn zum Einkaufsleiter zu befördern. Das ist eine gehörige Nummer zu groß für ihn. Er hätte ein kleiner Sachbearbeiter oder Gruppenleiter bleiben sollen."

„Aber Mr. O'Connor hat ihn doch selbst ..."

„Zerbrechen Sie sich nicht den Kopf über Management-Entscheidungen, Fräulein Hollmann", sagt Herr Fröhlich mit leichter Ungeduld in der Stimme. „Es gilt jetzt also, einen neuen Einkaufsleiter zu suchen. Und nicht nur das – wir werden in Kürze zwanzig neue Mitarbeiter, vorwiegend gewerbliche, einstellen. Wir expandieren!"

Darüber freut sich Babsi. Neueinstellungen – das bedeutet für sie viel interessante Arbeit: Insertionen, Bewerbungsunterlagen sichten und sortieren, Vorstellungsgespräche vorbereiten, Verträge schreiben und Akten anlegen. Manches Mal darf sie sogar ein Vorstellungsgespräch selbst führen, wenn Herr Fröhlich gerade keine Zeit hat.

Den wahren Grund dieser plötzlichen Einstellungswelle verrät der Personnel-Manager seiner Sekretärin nicht. Alles muss die schließlich auch nicht wissen.

Er geht recht geschickt vor, als er sich mit dem Betriebsratsvorsitzenden Korn unterhält, und der tappt auch prompt in die Falle. Dem Vorhaben „Neueinstellungen" steht er natürlich positiv gegenüber. Neue Arbeitsplätze zu schaffen, das ist etwas Gutes, besonders in der jetzigen Zeit. So sagt er nur: „Aber ich hoffe doch, dass das dann auch wirklich Dauerarbeitsplätze sind und nicht nur eine vorübergehende Sache!"

„Gewiss, Herr Korn. Bei unserer Expansion! Selbstverständlich sind das alles solide Dauerarbeitsplätze."

Herr Korn blickt nachdenklich auf die Zahlen, die vor ihm auf dem Tisch liegen, und dann gräbt er sich ahnungslos seine eigene Grube, in die er auch prompt hineinfällt:
„Ist Ihnen aber klar, Herr Fröhlich, dass wir damit die Mitarbeiterzahl 300 erreichen werden und dass dann ein hauptamtlich arbeitender Betriebsratsvorsitzender fällig ist?"
Herr Fröhlich zeigt sich überrascht und ein wenig erschreckt. „Ach – das habe ich überhaupt nicht bedacht! Das ändert natürlich die ganze Situation. Da muss ich erst noch mal mit dem General Manager sprechen, um zu hören, was wir da tun können, ob wir Sie als Leiter der Arbeitsvorbereitung überhaupt entbehren und eventuell ersetzen können ..."
Herr Korn beeilt sich, zu versichern, dass er sehr gerne die Stelle des hauptamtlich eingesetzten Betriebsratsvorsitzenden übernehmen würde ...

Babsi ahnt von diesen Zusammenhängen nichts. Mit Eifer macht sie sich daran, die Personalsuche einzuleiten. Es ist auch zu Zeiten, in denen Meldungen über Arbeitslosigkeit die Gemüter beunruhigen, nicht einfach, in einer größeren Industriestadt schnell zwanzig neue Mitarbeiter zu finden.
„Als erstes müssen wir die neuen Stellen am Schwarzen Brett aushängen", sagt Herr Fröhlich, „der Betriebsrat besteht darauf. Ich hoffe ja, dass sich niemand aus dem Haus darauf meldet, denn das bringt uns nur doppelte Arbeit! Und dann melden Sie den ganzen Bedarf beim Arbeitsamt. Vielleicht können wir uns Insertionen sparen, wenn die uns genügend Leute schicken."
„Wenn Sie sich da mal nicht täuschen", erwidert Babsi, „über das Arbeitsamt habe ich mich schon oft geärgert. Manchmal kommt man telefonisch überhaupt nicht durch. Und hat man seinen Bedarf endlich gemeldet, dann tut sich oft eine Ewigkeit gar nichts ..."

„Na ja, zumindest ein paar ordentliche Lagerarbeiter für die Sonderverpackung werden die uns doch wohl schicken“, meint Herr Fröhlich.
Aber Babsi ist skeptisch.
„Gute Leute kommen von dort selten, weil die sich nämlich aus eigener Initiative bewerben und nicht warten, bis das Arbeitsamt sie irgendwohin schickt. Ich habe von dort schon die tollsten Typen erlebt: Hilfsschüler, die noch nicht mal schreiben und lesen können, Alte oder Kranke,die gleich zu Beginn erklären, dass sie nicht mehr belastbar sind und nur kommen, um auf ihrer Karte die Vorstellung bestätigt zu kriegen! Oft kommen auch welche, die schon gleich eine Alkoholfahne mitbringen!“
„Nun, in dieser Stadt haben Sie wohl mehr Erfahrung als ich“, sagt Herr Fröhlich, „vielleicht ist es tatsächlich besser, gleichzeitig auch noch zu inserieren ...“
Es dauert gut drei Monate, bis die 20 offenen Stellen alle besetzt werden können. Herr Korn zieht als hauptamtlicher Betriebsrat hochzufrieden in das kleine Büro ein, das man ihm im Seitenbau zur Verfügung gestellt hat.

* * * *

Wieder ist ein halbes Jahr ins Land gegangen, und langsam werden die Mienen der Top-Manager etwas ernst oder gar nervös. Nach amerikanischem Muster reden sie sich inzwischen mit Vornamen an – etwas ungewohnt für gestandene deutsche Männer, aber man muss den erfolgreichen amerikanischen Managerstil doch mitmachen. Leider aber werden durch diese neue Vertraulichkeit die aufkommenden Probleme nicht geringer. Es ist zwar kaum zu fassen, aber die bösen Zahlen sehen auch jetzt nicht schöner aus, und Controller Walter sagt düster, dass Amerika „langsam die Geduld verliere."

Marketing-Manager Herbert und Sales-Manager Peter müssen zugeben, dass die Aktionen Fruchtüberraschung, Traumsalat, Fantastika-Sauce und Lukullus-Beilage nicht den gewünschten Erfolg gebracht haben, obwohl man doch so hart gearbeitet und kreativ gewirkt hat mit wohl durchdachten Werbekampagnen, Public Relations und vielem anderen mehr. – Was sind das heutzutage auch für Kunden, die einem Produkt einfach nicht treu bleiben?! Denn zunächst bahnte sich doch durchaus ein Erfolg an! Aber die meisten Leute kauften die neuen Kreationen einmal und dann nie wieder ... Ob da nicht doch vielleicht die „Quality" versagt habe? gibt Marketing-Manager Herbert zu bedenken.
Quality-Manager Karlheinz wehrt sich energisch. Er sei ja schließlich nicht für den Geschmack der Erzeugnisse zuständig, sondern lediglich für die Einhaltung der lebensmittelrechtlichen Bestimmungen. Und im Hinblick auf Lebensmittelchemie und -technologie könne man ihm gewiss keinen Vorwurf machen! – Ob nicht eher bei der Produktion etwas faul sei?
„Was ist das überhaupt für eine Flasche von Küchenmeister in der Versuchsküche?!" fragt er, „ist das nicht eine absolute Niete?"

Operations-Manager Manfred begehrt auf. Die Versuchsküche treffe keine Schuld, und in der Produktion sei auch alles in Ordnung. Aber man müsse schließlich bedenken, dass er im indirekten Bereich zwei neue Leute in Schlüsselstellungen habe, die noch nicht richtig eingearbeitet seien, nämlich den Einkaufsleiter und den AV-Leiter. Kein Mensch dürfe unter solchen Umständen Wunder erwarten! Aber, von allem anderen abgesehen, das Personal, das von der Personalleitung eingestellt werde, tauge oftmals überhaupt nichts.

„Lauter unfähige Leute bekommt man von da aufgeschwätzt! Wie kann noch ein kontinuierlicher Ablauf der Arbeit in der Produktion gewährleistet sein, wenn nur lauter Tagediebe kommen und man eine ständig hohe Fluktuation hat?"

Personnel-Manager Klaus erwidert, dass der Arbeitsmarkt nun mal kein anderes Personal hergebe. Schon mancher gute Bewerber sei auch wieder gegangen, weil man seine übertrieben hohen Lohnforderungen nicht akzeptieren konnte. So ein Mann bringe ja den ganzen Lohnrahmen durcheinander! – Außerdem stimme es in keiner Weise, dass nur unfähiges Personal eingestellt worden sei. Das Gegenteil sei der Fall ...

Allan O'Connor trommelt nervös mit den Fingern auf den Tisch.

„Meine Freunde, so geht das nicht! Es hat keinen Zweck, wenn jeder jetzt sucht eine Schuld bei dem anderen! Was ich von Ihnen wünsche, sind brauchbare Vorschläge zur Cost-Reduction! Nur äußerste Sparsamkeit und Reduzierung der laufenden, viel zu hohen Kosten können die Situation ändern!"

„Amerika hat vor allen Dingen unseren Headcount getadelt", beginnt Controller Walter nun wieder. „Es steht fest, dass wir viel zu viele Leute beschäftigen. Mindestens 50 Mitarbeiter sollten bis zum Jahresende eliminiert sein!"

„Fünfzig Mitarbeiter von dreihundert – das bedeutet Massenentlassung", sagt Personnel-Manager Klaus betroffen, „das müsste ich dann auch dem Arbeitsamt melden!"

„Es müssen ja nicht so viele auf einmal entlassen werden! Wie viele Kündigungen können wir aussprechen, ohne dass das Arbeitsamt eingeschaltet werden muss?"
„Meldepflicht besteht ab 10% der Belegschaft beziehungsweise ab 26 Arbeitnehmern. Also, bis zu 25 Mitarbeiter könnten wir ohne Meldung entlassen – allerdings muss der Betriebsrat zustimmen!"
„O.k., Sie werden aus betriebsbedingten Gründen 25 Mitarbeiter so schnell wie möglich entlassen", entscheidet Mr. O'Connor. „Stimmen Sie sich mit den einzelnen Abteilungsleitern ab, wer das soll sein. Und es ist Ihre Aufgabe, den Betriebsrat zu überzeugen!"
„Aber da kommt nun auch wieder das Problem 'Korn' auf uns zu. Sie wissen doch, der frühere AV-Leiter! Wenn unser Personalstand wieder so sinkt, müssen wir die Freistellung rückgängig machen, und..."
„Never mind! Diese Stelle ist ja inzwischen besetzt, isn't it? Sie werden finden einen anderen Platz für diesen Mann, wo er uns nicht kann schaden. Man muss natürlich diplomatisch sein. Geben Sie ihm eine gute Gehaltserhöhung, damit er nicht macht Schwierigkeiten! – Vielleicht würde er auch akzeptieren Aufhebungsvertrag mit guter Abfindung?"
Klaus Fröhlich sieht etwas bedenklich drein. „Ich werde mein Bestes versuchen", sagt er.

Reichlich nervös kommt er nach dieser Sitzung ins Personalsekretariat.
„Fräulein Hollmann, Sie führen doch die Fehlzeiten-Statistik. Die müsste ich mal eben haben ..."
Babsi spürt sofort, dass etwas Besonderes los ist, und instinktiv fragt sie:
„Geht es mal wieder um eine Abschussliste?"
Herr Fröhlich blickt überrascht hoch.
„Woher wissen Sie das?"

„Na, das ist doch ein alter Hut! Die wollte doch Ihr Vorgänger schon mal machen!"
„Nun ja – ich muss jetzt mit den einzelnen Abteilungsleitern diesbezügliche Gespräche führen, und da muss ich natürlich diese Liste berücksichtigen. Eine gute Gelegenheit, mal einige Flaschen und lahme Enten in die Wüste zu schicken ..."

Die Gespräche mit den einzelnen Abteilungsleitern gestalten sich sehr schwierig. Jeder sagt zunächst, dass er in seinem Bereich ganz gewiss niemanden entbehren könne. Aber nach vielem Hin und Her hat Klaus Fröhlich dann doch eine Liste mit rund 30 Namen.
„Wir müssen jetzt eine Sozialauswahl treffen", sagt er zu Babsi, „sonst spielt der Betriebsrat nicht mit. Machen Sie also bitte mit diesen Namen nochmals eine neue Liste, die folgende Kriterien enthält: Alter, Dienstjahre, Steuerklasse, Familienstand, Anzahl der Kinder – und ganz hinten noch eine freie Spalte für besondere Vermerke, zum Beispiel 'schwerbehindert' oder 'Betriebsratsmitglied'. Und dann wird die endgültige Auswahl festgelegt. Niemand soll sagen können, dass wir unsozial sind!"

Es ist eine Liste der kleinen Leute, die Klaus Fröhlich einige Tage später dem Betriebsrat vorlegt, um die Zustimmung für die „aus betriebsbedingten Gründen unabwendbar notwendigen" Kündigungen zu erhalten. Er bemüht sich gleichzeitig, Herrn Korn positiv zu motivieren: Ob er wohl Interesse habe, die schon lange fehlende Position eines Disponenten und Verpackungsspezialisten – natürlich mit beachtlicher Gehaltsaufbesserung – wahrzunehmen?
Herr Korn zeigt sich zumindest nicht uninteressiert. Aber was diese Liste betreffe, da müsse er erst den gesamten Betriebsrat zusammenrufen. Man werde darüber beraten und den Personalleiter dann dazurufen.

Die neun Betriebsratsmitglieder empfangen Herrn Fröhlich mit kritischen und unfrohen Mienen.
„Meine Herren", sagt er beschwörend, „niemand bedauert diese notwendige Maßnahme mehr als die Geschäftsleitung selbst! Aber bitte, betrachten Sie diese gewiss nicht schöne Situation einmal von der anderen Seite. Ist es nicht besser, jetzt durch einige wenige Entlassungen die Firma wieder gesunden zu lassen, als später vielleicht viel schmerzlichere Maßnahmen ergreifen zu müssen?"
„Und wer garantiert uns, dass danach die Firma wirklich gesundet?"
„Alle Anzeichen sprechen dafür!" Klaus Fröhlich bemüht sich um einen optimistischen Ton.
„Wissen Sie, Herr Fröhlich", sagt jetzt Herr Korn, „wenn ich mir diese Liste so ansehe, dann fällt mir auf, dass Sie lauter kleine Leute ausgesucht haben. Kein einziger Höherverdienender ist dabei! Und damit soll die Firma gerettet werden?!"
„Aber Herr Korn, ich bitte Sie! Schließlich kann ich ja nicht das Management entlassen! Das wäre ja – das wäre eine Firma ohne Kopf!"
„Sie meinen, eine Firma ohne Wasserkopf!! Jawohl, einen riesigen Wasserkopf hat uns dieser General Manager ins Haus geholt! Einen Wasserkopf, der nichts als Scheiße baut! Und die kleinen Leute müssen das nun ausbaden! So ist das nämlich!"

Klaus Fröhlich wischt sich nervös eine Haarlocke aus der Stirn. „Aber, meine Herren, ich muss doch sehr bitten! Und Sie müssen doch immerhin zugeben, dass wir bei der Zusammenstellung der Liste eine sehr sorgfältige Sozialauswahl getroffen haben. Kein einziger Familienvater ist dabei – außer bei den Lagerarbeitern, die wir erst vor kurzem eingestellt haben. Bei denen ist die Entlassung ohnedies problemlos, denn sie sind noch kein halbes Jahr in der Firma und haben somit noch keinen Kündigungsschutz."

„Und uns sagten Sie damals ausdrücklich, dass es sich hier um solide Dauerarbeitsplätze handeln würde!"
„Tja, wer kann immer genau in die Zukunft sehen?"
Betriebsratsvorsitzender Korn vertieft sich aufs Neue in die Liste.
„Das stimmt ja überhaupt nicht – von wegen kein einziger Familienvater! Da ist ja dieser Türke aus der Spülküche dabei, der Abdullah! Der hat doch acht Kinder!"
Klaus Fröhlich verzieht geringschätzig den Mund.
„Nun, meine Herren – darüber werden wir uns ja wohl einig sein! Wenn dieser Mensch glaubt, so viele Kinder haben zu müssen, dann ist das ja wohl sein Privatvergnügen! Und ich muss darauf hinweisen, dass er in seinen Leistungen sehr nachgelassen hat. Seine Fehlzeiten haben zunehmende Tendenz, und wenn er wirklich da ist, wirkt er so müde und abgespannt, dass er kaum mehr richtig einzusetzen ist!"
Bei der Tischrunde im Betriebsratszimmer macht sich ein hämisches Grinsen breit.
„Bis der jede Nacht seine eheliche Pflicht erfüllt hat, ist er natürlich zu müde zum Arbeiten ..."
„Erst dreißig und schon acht Kinder! Wenn der so weitermacht ..."
„Und die ganze Bagage in einer engen Zweizimmerwohnung! Da lernen die Kinder schon beizeiten, wie man's macht, he he!"
„Überhaupt, der Kerl kann ja vom Kindergeld allein schon leben! Wenn da noch das Arbeitslosengeld dazukommt, kann der sich ein schönes Leben machen ..."
„Und wenn es ihm nicht passt, kann er ja mit Kind und Kegel wieder dorthin zurückgehen, wo er hergekommen ist!"

Betriebsratsvorsitzender Korn klopft auf den Tisch und ruft die Runde zur Ordnung:
„Kollegen! Nun bleibt aber bitte sachlich! Ich muss hier eines feststellen: Die Personalleitung hat uns eben gesagt, dass au-

ßer den zuletzt eingestellten Lagerarbeitern kein einziger Familienvater dabeisein würde! Und wir sehen nun, dass sogar ein Familienvater mit acht Kindern dabei ist! Ein Mann, der schon fast drei Jahre lang bei uns arbeitet! Er hat einen Anspruch darauf, dass wir uns vorbehaltlos für ihn einsetzen! Dass er ein türkischer Gastarbeiter ist, darf hier keine Rolle spielen! Also, bitte keine Ressentiments gegen Ausländer!"
„Was heißt hier Ressentiments?" wird ihm entgegengehalten. „Wir haben nichts gegen Ausländer! Aber wenn schon welche dran glauben müssen, dann doch lieber so einer als ein Deutscher!"

Rudolf Korn blickt zögernd in die Runde.
„Na schön", sagt er schließlich einlenkend, „stellen wir diese Frage einstweilen noch zurück. Machen wir erst mal weiter mit der Liste. Da steht ja auch die Hälfte unserer Putzfrauen darauf! Sollen wir künftig im Dreck verkommen?!"
„Davon kann keine Rede sein", entgegnet Klaus Fröhlich. „Man ist hier im Hause der Ansicht, dass ohnedies viel zuviel geputzt, gewischt und gebohnert wird. Und ich kann dazu nur sagen – wenn ich hier den Gang entlanggehe, dann fürchte ich jedes Mal auszugleiten, so blank wie hier gebohnert wird! Und die Putzfrauen trifft eine Entlassung weniger hart – sie sind alle Steuerklasse fünf, haben also noch einen gut verdienenden Ehemann!"
„Na, ob da jeder Ehemann so gut verdient, möchte ich bezweifeln", brummt Herr Korn, „und wieso steht die Petra Müller auf der Liste? Wer soll denn künftig die Post austragen?"
„Fräulein Müller hat in den letzten Wochen ohnedies sehr viel gefehlt, so dass sie uns zum Postaustragen nur unregelmäßig zur Verfügung stand. Wir werden da eine andere Lösung finden", erklärt Klaus Fröhlich. „Es ist auch äußerst unrationell, eine Arbeitskraft den ganzen Tag nur damit zu beschäftigen, mit Postmappen durch die Gebäude zu laufen.

Wir werden in der Registratur entsprechende Fächer einrichten, in die Herr Ladewig die Post verteilt. Auch die Hauspost kann da untergebracht werden. Die einzelnen Sekretärinnen werden sich dann künftig ihre Post selbst abholen."

„Was für ein Blödsinn", murmelt einer vom Betriebsrat, „anstatt dass eine läuft, rennt dann ein Dutzend Damen gleichzeitig!"

„Das ist kein Blödsinn, sondern sinnvolle Rationalisierung!"

Das Gespräch zieht sich noch geraume Zeit hin. Aber schließlich erklärt sich der Betriebsrat bereit, den geplanten Kündigungen nicht zu widersprechen. Er erwarte allerdings, dass dies die erste und letzte Maßnahme solcher Art im Hause gewesen sei. Sollte nochmals eine ähnliche Aktion aufkommen, dann werde er mit aller Härte dagegen vorgehen ...

Babsi schreibt also 25 Kündigungsbriefe. „Aus betriebsbedingten Gründen" steht darin und „die Rechte des Betriebsrats wurden bei dieser Kündigung gewahrt!"

Es folgt nun der schwierigste Teil dieser Aktion, nämlich die Übergabe der Kündigungsschreiben an die betroffenen Mitarbeiter. Babsi muss alle der Reihe nach anrufen und in das Büro des Personnel Managers bitten. Sie kommen, je nach Temperament, scheu, neugierig oder auch sehr forsch, und je nach Temperament ist dann auch ihre Reaktion: Manche nehmen es gleichgültig hin, zucken die Achseln, gehen grußlos. Andere weinen, lamentieren, gehen schließlich gebeugten Hauptes und mit Tränen. Wieder andere schimpfen sehr laut, toben, verlassen das Büro mit Drohungen und Verwünschungen.

Ganz zuletzt ruft Babsi Petra Müller an. Das fällt ihr besonders schwer, und sie wagt es kaum, aufzublicken, als Petra,

mit gleichmütiger Miene und wie immer Kaugummi kauend, eintritt.
„Was ist denn los?“ fragt sie. „Habe ich was ausgefressen, weil ich zum Personalchef muss?“
„Nein“, antwortet Babsi, „du hast nichts ausgefressen. Aber – ach, es tut mir ja so leid – du kriegst einen sehr schlimmen Brief!“
„Ich? Ich soll einen schlimmen Brief kriegen? Etwa gar eine Kündigung?“
Petra lacht so belustigt, als ob man ihr eben einen Witz erzählt hätte. Ohne Zögern geht sie nach nebenan zu Herrn Fröhlich. Dieser beginnt, sein inzwischen schon eingeübtes Sprüchlein herzusagen:
„Also, Fräulein Müller, ich bedaure es wirklich außerordentlich, dass die wirtschaftliche Lage des Unternehmens uns zu Personalreduzierungen zwingt. Und leider muss ich Ihnen sagen ...“
„Sie können sich Ihre Rede sparen, Herr Fröhlich“, sagt Petra und holt aus ihrer Jackentasche einen Zettel heraus. „Das da wollte ich heute sowieso noch im Personalbüro abgeben. Und mit so einer Bescheinigung kann einem doch nicht gekündigt werden, oder?“
Sie reicht Herrn Fröhlich ein Attest, und er liest: „Es wird hiermit bescheinigt, dass Frau Petra Müller, geboren am 12. April 1956, im 3. Monat schwanger ist. Voraussichtlicher Termin der Entbindung: 29. März 1980 ...“
Klaus Fröhlich ist zum ersten Mal etwas aus der Fassung geraten.
„Ach so, ja – natürlich!“ stammelt er, „da können wir diesen Brief natürlich vergessen! Das ändert die Situation völlig! Geben Sie das Attest bitte meiner Sekretärin!“
Petra geht mit triumphierendem Blick wieder hinaus und legt Babsi den Zettel vor die Nase.
„Hier, das soll ich dir geben.“

Sie zwinkert lustig mit den Augen und ist draußen, noch ehe Babsi irgendwas sagen kann.

„Tja“, seufzt Klaus Fröhlich später, „das ist ja nun in die Hose gegangen, mit dieser Müller. Zu schade – gerade dieses phlegmatische kleine Luder hätte ich gerne in die Wüste geschickt! Aber daran ist nun überhaupt nicht mehr zu denken. Sie hat absoluten Kündigungsschutz als werdende Mutter. – Ist die überhaupt verheiratet?“
„Bis jetzt nicht“, antwortet Babsi. „Soviel ich weiß, hat sie einen Freund, der bis vor kurzem bei der Bundeswehr war. Sie hat mir mal erzählt, seine Eltern wollten nicht, dass er sie heiratet. Aber vielleicht tut er es jetzt doch. Es wäre sonst schlimm für sie ...“
„Na ja, das geht uns ja auch nichts an. Aber jetzt muss dafür eine andere Kündigung geschrieben werden. – Wen haben wir denn noch in der Registratur?“
„Das halte ich für ziemlich unmöglich“, meint Babsi, „außer dem Herrn Ladewig, der schon über fünfzig und schwerbehindert ist, arbeitet dort nur noch Fräulein Hollerweis. Und die ist auch nicht mehr die Jüngste!“
„Wie alt?“ – „Vierundvierzig!“ – Kinder?“ – „Nein!“ – „Wie lange in der Firma?“ – „Knapp sechs Jahre!“
„Na also!“ ruft Herr Fröhlich, „ist doch alles bestens! Schreiben Sie die Kündigung für diese Hollerweis. Und ich werde noch den Betriebsrat informieren!“

* * * *

„Also, ich habe mir das überlegt", sagt Herr Korn einige Wochen später zum Personnel-Manager, „das stinkt mir hier alles! Bei diesem Job, den Sie da für mich zurechtgebastelt haben – 'Disponent und Spezialist für Verpackungsfragen' –, da habe ich ja rein gar nichts zu tun! Keine echte Aufgabe! Und die Arbeitsplatzbeschreibung, die sie mir dafür noch machen wollten, die hab' ich bis heute noch nicht – wahrscheinlich, weil Sie selbst nicht wissen, was Sie da reinschreiben sollen! Im Bergischen Land, da haben wir ein hübsches, kleines Häuschen von den Schwiegereltern geerbt, und meine Frau hängt mit Herz und Seele daran. Sie fühlt sich dort auch viel wohler, weil sie doch Asthma hat und die Stadtluft hier nicht verträgt. Deshalb fahre ich schon fast jedes Wochenende mit ihr hoch. Und wenn ich mir nun vorstelle, man könnte immer dort wohnen, könnte die teure Stadtwohnung hier aufgeben. Ich könnte den Garten dort endlich richtig bewirtschaften, Obst und Gemüse ziehen, Hasen und Hühner halten, angeln gehen. Die Kinder könnten uns mit den Enkelkindern sonntags und in den Ferien besuchen, meine Frau würde dort aufblühen, und mir wäre auch wohler – also, kurz und gut, Herr Fröhlich, wenn Sie mir einen anständigen Aufhebungsvertrag anbieten würden, mit mindestens einem Jahresgehalt netto, würde ich unterschreiben!"
Klaus Fröhlich frohlockt innerlich. Das ist ja einfach großartig! Besser kann es ja überhaupt nicht kommen! Aber man muss natürlich auch jetzt diplomatisch bleiben, darf nicht zeigen, dass man sich freut, muss vielmehr bedenklich tun und bedauern ...
„Tja, Herr Korn", sagt er mit besorgter Stimme, „haben Sie sich das auch wirklich gut überlegt? Sie wissen ja, wie sehr wir Ihre Arbeit schätzen – wir würden wirklich bedauern, wenn ..."
Aber dieses Mal durchschaut Rudolf Korn das Spiel.
„Tun Sie doch nur nicht so, als wenn Sie weinen müssten, wenn ich gehe", sagt er. „Etwas Besseres können Sie sich

doch gar nicht wünschen! Da haben Sie dann wieder einen alten Knacker weniger, und gar noch den Betriebsratsvorsitzenden! Das fördert Ihre Karriere – wenn es in diesem Unternehmen überhaupt noch etwas zu fördern gibt!"
„Aber Herr Korn, ich..."
„Nein, nein, Herr Fröhlich, wir wollen uns doch gegenseitig nichts vormachen! Und ich habe ja auch wirklich keine Lust mehr. Mit der Abfindung, zusammen mit dem Arbeitslosengeld, was ja noch dazukommt, komme ich mit meiner Frau in dem Häuschen gut über die Runden bis zur Pensionierung. Nächstes Jahr werde ich ja schon 58! Und – im Vertrauen gesagt: So, wie die Lage hier im Unternehmen aussieht, da bin ich mir absolut nicht sicher, ob ich in einem Jahr noch so gut hier wegkommen kann wie jetzt!"
Klaus Fröhlich will widersprechen, irgendwie protestieren, aber dann sagt er nur:
„Na gut, Herr Korn, wenn Sie meinen, dass es für Sie so besser ist, möchten wir Ihnen nichts in den Weg legen ..."

Er hat ja leider nicht unrecht mit seinen düsteren Prognosen, der Herr Korn. Es ist jetzt Ende September, und das ist die Zeit, zu der in den Feinkostwerken Baumann immer die Hochsaison begonnen hatte. Schließlich wollen die Leute zu Weihnachten gut essen, und Delikatessen sind auch ein begehrtes Weihnachtsgeschenk. In den vergangenen Jahren hatte man deshalb ab September immer so viel zu tun gehabt, dass man in der Produktion noch Leasing-Personal einsetzen musste, weil die eigenen Leute es nicht schaffen konnten. Dieses Jahr ist alles anders. Keine Überbeschäftigung wird bemerkbar – im Gegenteil, die „Produktpalette" des Unternehmens ist verkleinert worden, angeblich eine sehr kluge Management-Entscheidung. „Fruchtüberraschung" und „Traumsalat" sind aus dem Fertigungsprogramm wieder gestrichen worden, die Lukullus-Beilage wird jetzt in Holland hergestellt ...

Der Marketing-Manager hat zum Jahresende gekündigt – Freistellung natürlich ab sofort! Ersetzt soll er nicht werden, denn Mr. O'Connor ist plötzlich der Ansicht, dass man diese Position sehr gut einsparen könne. Nein, so richtig Spaß macht das hier nicht mehr, und Klaus Fröhlich hat natürlich auch schon Verbindungen aufgenommen, von denen niemand im Haus etwas wissen soll. Er ist schließlich gut bekannt mit Headhunter Mohlbrugg. Und der hat ihm versichert, dass er ihm wohl schon bald eine adäquate Position anbieten könne ...

General Manager Allan O'Connor läuft mit sichtlicher Nervosität durch den ganzen Betrieb und betritt dann das Büro des Personnel-Managers.
„Was ist denn hier für ein Saustall überall?" schnaubt er wütend, „wird in diesem Haus überhaupt nicht mehr geputzt?"
„Nachdem wir die Hälfte der Putzfrauen entlassen haben, ist es für den Rest etwas schwierig, überall durchzukommen", sagt Klaus Fröhlich mit bedauerndem Achselzucken. „Die Frauen tun, was sie können. Aber es kann vieles nicht mehr so gründlich gemacht werden."
„Nächste Woche kommt hierher eine Kommission aus Amerika! Und dann muss hier sein alles picobello! Es muss überall nur so glänzen! Wenn die eigenen Leute nicht ausreichen, dann nehmen Sie eine Leasing-Putztruppe – es gibt doch solche Firmen! Also, glänzende Sauberkeit in allen Gebäuden! Ist das klar?"

Die amerikanische Kommission besteht aus denselben ältlichen Herren, die vor mehr als zwei Jahren mit dem alten Fritz Baumann verhandelt hatten. Sie lächeln jetzt aber nicht mehr freundlich, sondern machen sehr ernste Gesichter. Es wird viel und lange hinter verschlossenen Türen verhandelt. Dass das ganze Unternehmen auf Hochglanz gebracht worden ist, scheinen die hohen Herren überhaupt nicht zu be-

merken. Sie bewegen sich nur zwischen Konferenzraum und Speisesaal, und würdigen die übrigen Gebäude keines Blickes.
Nach Abschluss der Gespräche wird bekannt gegeben, dass der General Manager Allan O'Connor zur Wahrnehmung anderer Aufgaben innerhalb des Konzerns nach Amerika zurückbeordert werde. An seine Stelle komme der außerordentlich erfahrene Mr. Roger Mc'Lean, der insbesondere mit der Neuorganisation und „Straffung" des Unternehmens beauftragt sei. Weitsichtige Überlegungen zum Wohle der Feinkostwerke Baumann hätten außerdem zu dem Ergebnis geführt, dass man aus Kostengründen die Abteilung „Saucenfertigung" zum Jahresende schließen werde und die Produktion dieser Spezialitäten künftig von der Schwesterfirma in Italien durchführen lasse. Man verspreche sich von dieser Maßnahme eine Stabilisierung des Unternehmens. Für die betroffenen Mitarbeiter in der Saucenabteilung werde ein Sozialplan aufgestellt ...

Man ist tief betroffen im Hause, denn gerade die Saucen waren das Erzeugnis, das bis jetzt immer noch die besten Verkaufserfolge erzielt hatte. Der Betriebsrat lädt wieder zu einer außerordentlichen Betriebsversammlung ein. Es wird darin gesagt, dass man lange und verbissen gekämpft habe, um Unheil von den Kolleginnen und Kollegen abzuwenden. Aber schließlich habe sich der Betriebsrat nicht ganz den Argumenten des Managements verschließen können, und man sei nun doch zu dem Ergebnis gekommen, dieser Aktion nicht mehr zu widersprechen, weil dadurch für die übrige Belegschaft Schlimmeres abgewendet werden könne. Man wolle sich aber sehr dafür einsetzen, dass der Sozialplan auf jeden Fall bestmögliche Bedingungen enthalte ...

* * * *

Mr. Roger Mc'Lean ist ein außerordentlich ernst dreinblikkender, mittelgroßer Mann mit Stirnglatze, ergrauten Haaren, tief durchfurchter Stirn und buschigen Augenbrauen, unter denen zwei finstere Augen bedrohlich hervorschauen. Man sagt, er sehe bedeutend älter aus, als er in Wirklichkeit ist. Alle fürchten sich vor ihm, er hat immer etwas zu nörgeln und zu schimpfen, predigt absolute Sparsamkeit, und man nennt ihn hinter seinem Rücken den „eisernen Besen." Sogar den Top-Managern vergeht Hören und Sehen. Er kontrolliert ihre Benzinrechnungen, verfügt, dass eine Hotelübernachtung nicht mehr als achtzig Mark kosten dürfe, verbietet „Arbeitsessen" in teuren Restaurants und gibt Anweisungen heraus, wonach sämtliche Seminarbesuche sofort gestrichen sind und jegliche Geschäftsreisen genehmigt werden müssen. Als nächstes lässt er im Haus alle Fernleitungen des Telefonnetzes sperren. Alle Ferngespräche müssen in der Zentrale angemeldet werden, Privatgespräche sind sofort an der Kasse zu zahlen ...

Kein Wunder, dass der Sales-Manager und der Export-Manager fast gleichzeitig ihre Kündigung einreichen. Freistellung ab sofort.
„Die Ratten verlassen das sinkende Schiff!" sagt Frau Schubert zu Babsi, während beide am Mittagstisch sitzen und lustlos im faden „Fertigmenü" herumstochern.
„Am besten, man isst hier überhaupt nicht mehr", sagt Babsi und schiebt angewidert die halbleere Folie von sich, „zumal man für den Fraß jetzt auch noch bezahlen muss! Ab nächster Woche nehme ich mir Brote mit!"
Es war eine der ersten Maßnahmen des „eisernen Besens" gewesen, den kostenlosen Mittagstisch im Hause zu streichen, das Kantinenpersonal bis auf eine einzige Mitarbeiterin zu entlassen und das Essen künftig aus einer Fernküche zu beziehen.

Nichts entgeht Mr. Mc'Leans kritischem Auge, überall entlädt sich sein Zorn. Als er eines Nachmittags eine Gruppe Gewerblicher bereits vor Arbeitsende an der Stechuhr stehen sieht, will er sofort alle fristlos entlassen. Herr Fröhlich belehrt ihn, dass die Leute erst mal „abgemahnt" werden müssten. Wenn sich dann allerdings das Vergehen wiederhole ... Seitdem wandert der „eiserne Besen" täglich fünf Minuten vor 16 Uhr an der Stechuhr vorbei. Und kein Mensch wagt mehr, auch nur eine Minute früher seinen Arbeitsplatz zu verlassen.

Babsi findet eines Morgens ihren Papierkorb nicht mehr neben dem Schreibtisch. Noch ehe sie Nachforschungen anstellen kann, wo die Putzfrau ihn wohl gelassen haben könnte, wird sie von Angelika Ostendorf angerufen.
„Fräulein Hollmann, Sie möchten mal zum General Manager kommen!"
Babsi fürchtet sich etwas vor ihm. Sie spricht ungern mit dem neuen General Manager, dessen amerikanischer Akzent stark von ihrem Schulenglisch abweicht. Es ist nicht bekannt, ob er überhaupt des Deutschen mächtig ist. Auf jeden Fall denkt er nicht daran, sich mit der deutschen Sprache abzumühen. Sollen diese Leute ihm gefälligst in seiner Sprache antworten! Dass er von vielen im Haus kaum verstanden wird, ist ein weiterer Grund für ihn, ärgerlich zu sein.
Etwas befangen betritt Babsi die Räume, die früher einmal zu ihrem Arbeitsplatz gehörten. Mr. Mc'Lean sitzt hinter seinem großen Schreibtisch und deutet auf die Wand neben der Tür.
„Sie sehen hier mehrere Papierkörbe stehen", sagt er in seinem amerikanischen Kauderwelsch, „schauen Sie nach, welcher davon der Ihre ist!"
Babsi hat ihren Papierkorb schnell gefunden. Fragend blickt sie den General Manager an. Sie versteht nicht im Geringsten, was das soll.

„O.k., geben Sie den Papierkorb her. Er ist gefüllt mit vielen Papieren. Ich habe festgestellt, überall im Haus werden teures Papier und Drucksachen verschwendet. Warum haben Sie dieses Blatt weggeworfen?“
Babsi wirft einen Blick auf den halb beschriebenen Kopfbogen.
„Das ist ein Brief, der nochmals geändert werden musste. Herr Fröhlich wollte das so.“
„Hm. – Und warum haben Sie hier gutes, wertvolles Briefpapier verwendet, nur um ein paar Notizen darauf zu schreiben?!“
„Das sind alte Kopfbogen, da steht noch die frühere Firmierung drauf – die dürfen doch nicht mehr verwendet werden!“
„O.k. – Aber was ist hiermit?“
„Da hatte ich mich verschrieben. Ich war in die falsche Zeile geraten ...“
„Und hier?!!“
„Da hatte ich versehentlich falsche Zahlen eingesetzt ...“
„Hm! – Sie müssen aufpassen, dass Sie nicht immer wertvolles Papier vergeuden!“
Nun folgt ein langer Vortrag, wie teuer es doch die Firma komme, wenn Sekretärinnen täglich mehrere Kopfbögen in den Papierkorb werfen. Dann darf Babsi wieder gehen.
Sie ist so wütend, dass sie – wieder einmal – an Kündigung denkt. Aber es ist gerade eine ungünstige Zeit zum Kündigen. Es geht jetzt auf Weihnachten zu, und da bleibt man besser, wo man ist. Man verliert sonst die Gratifikation ... Aber es gibt dennoch einige, die auch zu dieser Zeit kündigen. Angelika Ostendorf gibt bei Babsi ihr Schreiben ab.

„Bei diesem General Manager bleibe ich nicht länger“, sagt sie, „ein völlig unmöglicher Mensch!“
Natürlich wird sie nicht freigestellt wie die Top-Manager. Aber sie kann noch über sehr viele Urlaubstage verfügen und wird deshalb nur noch kurze Zeit im Haus verbringen müssen.

„Was werden Sie jetzt tun?" fragt Babsi, „haben Sie schon eine andere Stelle?"
„Zunächst gehe ich mal rüber nach Amerika", erklärt Angelika Ostendorf. „Es ist alles noch offen. Ich weiß noch nicht, ob ich wieder zurückkommen werde."
Sie verabschiedet sich kühl und gelassen, so, wie sie immer war.
Babsi bleibt mit ihren Gedanken zurück. Nach Amerika ... Ob es vielleicht doch stimmt, was man sich im Haus erzählte, dass nämlich die Ostendorf und der frühere General Manager O'Connor mehr füreinander gewesen seien, als nur Sekretärin und Boss? Na ja, wer weiß ... aber es wird ja auch schrecklich viel getratscht in so einer Firma. Wenn sie nur daran denkt, was man früher mal über sie und den schönen Udo so alles geredet hat ...
Auf die innerbetriebliche Ausschreibung, die für den nun freigewordenen Platz im Sekretariat des General Managers ausgehängt wird, meldet sich Frau Schubert. Nicht weil sie sich darum reißt, für den „eisernen Besen" arbeiten zu dürfen – auch sie hatte ihren Papierkorb dort abholen müssen –, sondern weil sie sich dadurch einen „Sprung nach oben" erhofft. Eine ordentliche Gehaltserhöhung könnte sie sehr gut gebrauchen, das wissen alle im Haus. Aber alle wissen auch, dass die Schubert als Chefsekretärin eigentlich nicht geeignet ist. Nicht, dass sie nichts könnte, nein, nein – Steno, Schreibmaschine, Englisch, das ist alles recht ordentlich. Aber sie ist doch kein bisschen attraktiv! Durch und durch hausbacken, mit schief gelaufenen Absätzen, und nur alle vier Wochen geht sie zum Friseur! Und immer hat sie dieselben, unscheinbaren Klamotten an, wechselt die Kleidung höchstens zweimal in der Woche. Dabei weiß doch heutzutage jede kleine Büromieze, dass man täglich etwas anderes, Schickes anziehen muss und dass die Ringe und Kettchen blitzen und die Fingernägel glänzen müssen, wenn man im Büro weiterkom-

men will! Und nun die Schubert als Chefsekretärin, als „First Lady“ im Hause ...
Aber dem „eisernen Besen“ ist es völlig egal, wie seine Sekretärin aussieht. Übrigens hat er selbst auch immer den gleichen grauen Anzug an. Ihm ist nur wichtig, dass sie anständig arbeitet und im Übrigen den Mund hält – es sei denn, sie wurde ausdrücklich etwas gefragt.
Aber mit der erhofften Gehaltserhöhung ist es zunächst nichts.
„Ich muss ja erst mal sehen, was Sie überhaupt können“, knurrt er, als Frau Schubert ihn schüchtern darauf anspricht, „in einem halben Jahr können wir nochmals darüber reden!“

Babsi fragt Herrn Fröhlich, ob der Platz von Frau Schubert im Verkauf nun wieder besetzt werden solle.
Er wehrt entschieden ab.
„Um Himmels willen keine Neueinstellung! Wir haben absoluten Einstellungsstopp!“
„Unser Personalstand sinkt immer tiefer“, sagt Babsi düster. „Nachdem wir jetzt auch keinen Außendienst mehr haben, sind wir bereits unter zweihundert ...“
„Erinnern Sie mich bloß nicht an den Außendienst!“
Das war auch eine der Maßnahmen des „eisernen Besens“ gewesen, den gesamten Außendienst zu entlassen und dafür Agenturen einzusetzen. Der Personnel-Manager hatte große Schwierigkeiten gehabt, musste immer wieder aufs Arbeitsgericht. Es gelang ihm dabei nicht, das Gericht davon zu überzeugen, dass diese Kündigungen wirklich betriebsbedingt notwendig waren. Und dann mussten sehr teure Vergleiche geschlossen werden.

'Ich muss heute Abend den Mohlbrugg anrufen, ob das nun klappt, mit der Personaldirektorenstelle in München –verflucht, jedes Mal ein teures Ferngespräch von daheim, nur weil dieser Mc'Lean die Leitung gesperrt hat! Wirklich alles total unmöglich geworden in diesem Haus ...' denkt Klaus Fröhlich.

Dann sagt er zu Babsi:

„Fräulein Hollmann, machen Sie doch bitte mal eine genaue Aufstellung über alle Sozialaufwendungen, die wir hier im Hause leisten. Der General Manager will das alles kritisch überprüfen und für das nächste Jahr eventuell ändern. Er hat sich furchtbar aufgeregt, weil jeder Mitarbeiter zusätzlich zu seiner Gratifikation zu Weihnachten noch ein großes Delikatessen-Paket bekommt! Er wollte das sofort streichen, aber das konnte er nicht machen, ohne Betriebsrat. Und dieses Paket ist hier ja schon ein Gewohnheitsrecht. Aber jetzt will er diese Gesamtaufstellung. Ich glaube, wir gehen herrlichen Zeiten entgegen ..."

* * * *

Das neue Jahr hat begonnen, und Petra, die jetzt nicht mehr „Müller“, sondern nach der Eheschließung im siebten Monat „Weber“ heißt, tritt – dick und unförmig geworden – ihren Mutterschaftsurlaub an.
Herr Ladewig hinkt ins Personalbüro. Er hat eine Beinprothese, und an seinen ungleichmäßigen Schritten erkennt man ihn immer schon von weitem.
„Ich brauche schnellstens Ersatz für die Weber!“ meldet er.
„Ausgeschlossen“, antwortet Klaus Fröhlich, „wir haben absoluten Einstellungsstopp!“
„Aber hören Sie mal, das geht ja nun doch zu weit!“ ruft Herr Ladewig empört. „Erst nehmen Sie mir die tüchtige und fleißige Hollerweis weg, und ich muss mich die ganze Zeit mit dieser Müller – äh, Weber herumärgern, und jetzt, wo die weggeht, soll überhaupt niemand mehr kommen?!“
„Aber sie geht doch nur in Mutterschaftsurlaub, sie kommt doch wieder! Und wir müssen ihr den Arbeitsplatz freihalten.“
„Über ein halbes Jahr lang?! So lange kann ich nicht warten! Das wird hier ja immer schöner: Jetzt soll die Arbeit, die früher von drei Leuten erledigt wurde, von einem einzigen gemacht werden! Und ich bin Schwerbehinderter, falls Sie das nicht wissen sollten! – So lasse ich nicht mit mir umspringen!“
„Gut, Herr Ladewig, ich will versuchen, dass Sie für die Zwischenzeit innerbetrieblich jemanden bekommen ...“

Als Herr Ladewig wieder gegangen ist, wendet sich Klaus Fröhlich an Babsi:
„Prüfen Sie doch mal nach, wen wir da vielleicht noch haben, als Ersatz für die Weber in der Registratur. Möglicherweise auch eine Frau aus dem gewerblichen Bereich, die clever genug ist, um dort angelernt zu werden.“
Babsi schüttelt den Kopf.
„Unmöglich! Dadurch, dass wir schon seit Wochen keine Abgänge mehr ersetzen, ist überall nur noch Minimalbesetzung. Herr Wagenseil hat gesagt, wir hätten einen absoluten

Tiefstand erreicht, und wenn jetzt noch jemand ginge oder krank würde, dann würde in seinem Bereich alles zusammenbrechen!"
„Na ja, der Wagenseil", Klaus Fröhlich verzieht geringschätzig den Mund, „der wird sich vielleicht noch wundern! – Und wie sieht es bei den Angestellten aus? Was macht beispielsweise dieses Fräulein Weiß im Einkauf?"
„Die ist dort Kontoristin, schreibt Bestellungen und so."
„Na also! Das kann doch die Frau Rimmelein im Einkauf künftig mit erledigen! Es wird ja ohnedies viel weniger bestellt als früher. Schreiben Sie der Frau Weiß eine Änderungskündigung. Ab nächsten Monat in die Registratur, und damit basta. – Ich werde den Betriebsrat unterrichten."

Christa Weiß wehrt sich mit Händen und Füßen, als man ihr die Änderungskündigung vorlegt.
„Das ist für mich eine solche Verschlechterung", sagt sie weinerlich, „damit bin ich nicht einverstanden! Ich bin als Kontoristin für die Abteilung Einkauf eingestellt worden!"
„Und nun sind Sie Kontoristin in der Abteilung Registratur! Wo ist da der Unterschied?" fragt Herr Fröhlich.
„Das ist doch eine viel geringwertigere Arbeit! Was macht man denn in der Registratur schon groß? – Ablage, Postsortieren und frankieren und lauter so Hilfsarbeiten. Ich bin gelernte Bürokauffrau!"
„Fräulein Weiß", sagt Klaus Fröhlich beschwichtigend, „auch die Arbeit in der Registratur kann interessant und verantwortungsvoll sein! Sie sehen das falsch! Sie dürfen das nicht als Degradierung auffassen!"
„Aber die Arbeit im Einkauf gefällt mir besser!"
„Fräulein Weiß, es ist ja durchaus möglich, dass Sie später wieder in die Einkaufsabteilung zurückgehen werden. Im Moment geht es doch nur darum, dem Herrn Ladewig zu helfen, bis Frau Weber vom Mutterschaftsurlaub zurückkommt!"

„Ach, wer erst einmal von seinem Platz weg ist, der kommt nie mehr zurück! Dafür hat es hier schon genug Beispiele gegeben!"

Jetzt bricht Christa Weiß tatsächlich in Tränen aus.

„Außerdem", sagt sie unter Schluchzen, „bin ich schon lange in K-3, und die Stelle in der Registratur ist sicherlich nur eine K-2-Position!"

„Fräulein Weiß, selbstverständlich werden Sie in K-3 bleiben! Finanziell werden Sie sich durch diese Änderung in keiner Weise schlechter stellen. Und Sie tun uns wirklich einen großen Gefallen, wenn Sie sich einverstanden erklären!"

Schließlich gibt Christa Weiß nach. Resignierend sagt sie, während sie mit zitternder Hand ihre Einverständniserklärung unter die Änderungskündigung schreibt:

„Was soll ich sonst auch tun? Wenn ich diesen Wisch nicht unterschreibe, dann schmeißen Sie mich gleich raus, das steht hier ja schwarz auf weiß! Herr Knab hat schon Recht gehabt: 'hire and fire' – das ist die neue Methode hier! Eigentlich müsste man aufs Arbeitsgericht gehen! Aber wer weiß, wie das dann ausgeht ..."

Immer noch weinend verlässt sie das Büro der Personalleitung.

Klaus Fröhlich atmet auf. „Na, Gott sei Dank, das wäre geschafft!" Und dann sagt er zu Babsi:

„Bei der nächsten Gehaltsüberprüfung müssen wir höllisch aufpassen! Sie verdient ja wirklich viel zu viel für die Registratur. Zumindest die außertariflichen Bestandteile ihres Gehaltes müssen wir mit der nächsten Tariferhöhung verrechnen ..."

* * * *

Der Monat Februar ist kalt, nass und regenreich, ein richtiges „Grippewetter“ – und der Krankenstand im Unternehmen schnellt in die Höhe. Sogar der Personnel-Manager höchstpersönlich muss sich für drei Tage mit Fieber ins Bett legen, dann kommt er aber wieder, immer noch stark erkältet, hustend und durch und durch verschnupft. Missmutig stellt er fest, dass die Arbeiter in der Produktion ganz bestimmt nicht in diesem beklagenswerten Zustand zur Arbeit erscheinen würden.

„Das ist ja vielleicht auch gar nicht so gut, wenn sie noch krank in die Firma kommen“, meint Babsi. „Hinterher kriegen sie einen Rückfall und fehlen dann erst recht lange!“

Klaus Fröhlich hat nur mit halbem Ohr zugehört, weil er wieder heftig husten musste.

„Da sehen Sie jedenfalls mal wieder den Unterschied zwischen einem Manager und einem Arbeiter, Fräulein Hollmann“, sagt er dann.

„Obwohl ich mich sehr schlecht fühle, schleppe ich mich ins Büro, um meine Pflicht zu tun! So ein Arbeiter würde in diesem Zustand bestimmt zu Hause bleiben und seelenruhig die Lohnfortzahlung kassieren!“

Babsi zieht es vor zu schweigen, aber sie denkt, dass einem Mann, der in der Produktion zupacken muss, vielleicht gar acht Stunden bei dicker Luft, Lärm und Nässe an einer Maschine steht, die Arbeit doch schwerer fallen muss, wenn er krank ist. Im Büro kann man sich schließlich auch mal mit einem Brummschädel an den Schreibtisch setzen. Man leistet dann zwar nicht so viel, aber der Tag geht doch irgendwie zu Ende.

„Wie hoch ist zur Zeit unser Krankenstand?“ will Klaus Fröhlich wissen.

„Bei den Angestellten 3,9 Prozent, bei den Gewerblichen 13,8 Prozent!“ meldet Babsi.

„Na, sehen Sie! Immer dasselbe! Hat es irgendetwas Besonderes gegeben, während meiner dreitägigen Abwesenheit?"
Babsi berichtet:
„Der Wagenseil steht natürlich kopf, weil so viele Leute in der Produktion krank sind. Und der Leiter vom Versandlager hat auch schon mehrmals angerufen und gemeldet, er käme nicht mehr durch, weil so viele fehlen. Beide meinen, man sollte vorübergehend Leasingkräfte kommen lassen."
„Kommt überhaupt nicht in Frage! Die sollen froh sein, wenn wir demnächst nicht noch Kurzarbeit anmelden! Ich werde nachher mal durchs ganze Werk gehen und mir die Lage anschauen. So etwas sollte man viel öfter machen – einfach durchgehen und gucken! Man kann da blaue Wunder erleben. Da stehen die Leute herum und schwätzen und haben nichts zu tun. Wenn sie einen dann sehen, flitzen sie schnell an ihren Arbeitsplatz! – Gab es sonst noch etwas?"
„Zwei Arbeiter sind gekommen und haben Vorschuss beantragt. Sie sind anscheinend beide in einer Zwangslage und kommen deshalb diesen Monat nicht über die Runden. Der eine hatte einen Autounfall und musste nun eine unerwartet hohe Reparaturrechnung bezahlen, und bei dem anderen ist der Schwager plötzlich gestorben, und er sagte, er müsse nun seine Schwester unterstützen, die dadurch in Not geraten sei. – Ich habe beiden gesagt, sie sollen heute nochmals nachfragen, wenn Sie da sind ..."
„Aber Sie wissen doch ganz genau, dass wir keinerlei Vorschüsse mehr bezahlen! Mr. Mc'Lean hat das streng verboten! Die Leute müssen sich eben ihr Geld richtig einteilen und zusehen, dass sie über die Runden kommen! Wenn wir diesen Monat Vorschuss zahlen, wie sollen sie dann im nächsten Monat zurechtkommen?"
„Ich dachte halt, wenn so ein besonderer Notfall vorliegt, dann sollte man doch vielleicht helfen ..."
„Fräulein Hollmann, Sie müssen sich Ihre übertriebenen sozialen Gefühle abgewöhnen, sonst kommen Sie nicht weiter!"

'Das hat doch schon einmal jemand zu mir gesagt', denkt Babsi.
„Im Personalwesen muss man hart bleiben, sonst wird man alsbald schamlos ausgenutzt! Nein, nein – Vorschuss kommt überhaupt nicht in Frage! – Sonst noch etwas Neues?"
„Zwei Sekretärinnen haben jetzt Mitte Februar zum 31. März gekündigt – von der Abteilung Marketing und vom Export."
„Na, das war zu erwarten. Wenn der Boss geht, bleibt die Sekretärin nicht mehr lange ... Aber in diesem Zusammenhang fällt mir etwas Wichtiges ein: Was ist jetzt eigentlich mit dieser Frau Schubert los? Gedenkt diese Dame überhaupt noch einmal zu kommen?"
„Aber Herr Fröhlich, Sie wissen doch, dass Frau Schubert im letzten Monat auf dem Weg zur Arbeit so unglücklich auf Glatteis ausgerutscht ist, dass sie einen komplizierten Knöchelbruch davontrug! Sie war fast vier Wochen lang im Krankenhaus und ist nun zu Hause immer noch in Gips. Das wird noch einige Zeit dauern."
„Eine Unmöglichkeit für uns! Fehlt schon über sechs Wochen! Ein Glück, dass Mr. Mc'Lean ihr beim Wechsel in sein Sekretariat keine Gehaltserhöhung gegeben hat, sonst müssten wir noch mehr Gehaltsfortzahlung leisten. Diese Dame braucht sich nicht einzubilden, dass sie wieder auf diesen Platz zurückkehren kann! Wir werden diese Stelle jetzt neu besetzen – sie ist zu wichtig, als dass sie so lange unbesetzt bleiben könnte. Und für die Zwischenzeit nehmen Sie eine Leasingkraft. Mr. Mc'Lean braucht schnellstens jemand!"
„Soll Frau Schubert dann wieder auf ihren alten Platz im Verkauf?"
„Nein, natürlich nicht. Diesen Platz haben wir ja inzwischen wegrationalisiert, und ich denke nicht daran, ihn wieder neu zu errichten. Wenn die Dame wiederkommt, muss ich eben mit ihr sprechen. Vielleicht kann man sich mit einem Aufhebungsvertrag einigen."

„Aber eigentlich kann man Frau Schubert doch überhaupt nichts vorwerfen“, wendet Babsi nun noch ein. „Dass sie den Unfall hatte, dafür kann sie ja nichts. Und solange sie für den General Manager gearbeitet hat, war er doch ganz zufrieden – man kann doch nicht sagen, dass sie keine gute Arbeit leistete ...“
„Leider stand sie aber als Chefsekretärin, die sie ja nun sein wollte, nur knappe fünf Wochen zur Verfügung! Und seit sechs Wochen ist sie nun arbeitsunfähig“, versetzt Klaus Fröhlich. „Natürlich hat sie großes Pech gehabt. Aber sie muss und wird einsehen, dass wir entsprechend reagieren mussten!“
„Aber nachdem jetzt zwei Sekretärinnen gekündigt haben, da könnte doch Frau Schubert…“
„Diese Sekretärinnenarbeiten können künftig die übrigen Mitarbeiterinnen im Verkauf und im Export mit erledigen! Wir müssen schließlich um jede Einsparung froh sein!“
Die Stimme des Personnel-Managers klang jetzt ungeduldig.
„Jetzt geht es vor allem darum, die Leasingkraft für das Chef-Sekretariat zu bestellen – aber eine gute, tüchtige, mit perfektem Englisch und so.“
„Die kostet uns in der Stunde mindestens 40 Mark!“
„Dafür ist sie ja auch für den General Manager! – Ich werde jetzt meinen Rundgang durch den Betrieb machen. Lassen Sie mich ausrufen, wenn irgendetwas sein sollte!“
Und damit verlässt er den Raum.

Babsi ist niedergeschlagen. Sie hatte eigentlich noch sagen wollen, dass Frau Schubert doch ohnedies einen so schweren Stand habe: einen Frühinvaliden als Ehemann, Schulkinder. Aber wahrscheinlich wären dann nur wieder ihre „sozialen Gefühle“ gerügt worden ...

Beim Leasing-Unternehmen „Arbeit auf Zeit“ freut man sich, von den Feinkostwerken Baumann endlich wieder einen

Auftrag zu bekommen. Wie oft hatte man in den letzten Wochen angefragt, ob nicht Bedarf an „erstklassigem Zeitpersonal“ bestünde. Und nun bestellt die Dame von der Personalleitung dieses Unternehmens gar eine teure Spitzenkraft! Man überschlägt sich fast vor Diensteifer. Selbstverständlich würde die Firma „AaZ“ diesen Auftrag unverzüglich erledigen, spätestens zum nächsten Wochenbeginn sei die gewünschte Kraft da, und ob man nicht auch noch Bedarf an einigen sehr guten gewerblichen Leuten habe, die gerade frei seien?
„Im Augenblick nicht!“ muss Babsi antworten.
„Nun, wir freuen uns jedenfalls, dass es mit den Feinkostwerken nun wieder richtig bergauf geht! Sie wissen ja, wir stehen Ihnen jederzeit zur Verfügung ...“
Ja, das weiß Babsi. Und sie weiß auch, dass man bei „AaZ“ keine Ahnung hat, was hier wirklich los ist. Sie verabschiedet sich etwas müde und legt den Telefonhörer auf.

Miss Rosalind Brown, die Sekretärin des amerikanischen Controllers Walter Smith, kommt herein.
„Hallo, Barbara!“
Sie ist eine auffallend große und sehr schlanke Person von knapp 30 Jahren, mit einem etwas zu breiten Mund, einer recht langen Nase, langen braunen Locken und lustigen grauen Augen. Sie hat sich etwas mit Babsi angefreundet, besonders, seitdem Angelika Ostendorf nicht mehr da ist. Die meisten Damen im Hause können diese Miss Brown nicht recht leiden oder, genauer gesagt, sie beneiden sie sehr und missgönnen ihr die Vorzugsstellung, die sie zweifellos in der Firma einnimmt.
Man sagt, dass sie als einzige mit ihrem Chef zusammen noch über eine Fernleitung verfüge und dass sie jede Woche mindestens einmal mit ihren Angehörigen in Amerika telefoniere – natürlich auf Firmenkosten. Sie bewohnt ein elegantes Appartement im „Excelsior“ – natürlich auch auf Firmenko-

sten, und sie spricht mit den Managern wie mit ihresgleichen. Sie ist die einzige, die sogar den bissigen Mc'Lean mit ihrem Widerspruch bisweilen zum Schweigen bringt. Und bei allen Management-Meetings ist sie dabei und führt das Protokoll. Vermutlich, so sagen ihre Neider, bezieht sie ein Bombengehalt.

Babsi, die ja selbst die Personalakte der Rosalind Brown angelegt hatte und zudem alle Gehaltslisten führt, weiß, dass diese Dame tatsächlich ein hohes Gehalt bezieht. Aber sie ist deswegen nicht neidisch. Im Gegenteil, sie mag Rosalind. Sie hat schon lange gelernt, dass Neid nicht die richtige Einstellung ist, um Mitarbeitern im Hause zu begegnen, gleichgültig, welche Stellung sie auch immer innehaben mögen. Man kann vielleicht das System der Unternehmensführung missbilligen, man kann die einzelnen Entscheidungen in diesem System kritisch betrachten. Der einzelne Mensch aber ist immer nur das Ergebnis dieses Systems und der daraus folgenden Entscheidungen – wer sollte ihn deshalb richten? Und, das weiß Babsi auch, wer erhöht wird, kann eines Tages umso tiefer fallen ...
Außerdem scheint Rosalind wirklich sehr tüchtig zu sein. Sie spricht sehr gut Deutsch. Das kommt, wie sie freimütig erzählt, davon, dass ihre Mutter ein „deutsches Fräulein" war, das nach Kriegsende einem amerikanischen Soldaten über den großen Teich folgte. Rosalind Brown hat deshalb ihre Großeltern mütterlicherseits sowie mehrere Onkel und Tanten hier in Deutschland. Sie wohnen alle in der Gegend von Nürnberg, leider etwas weit weg von der Stadt, in der die Feinkostwerke Baumann sind. Aber jedes zweite Wochenende fährt Rosalind nach Nürnberg – das gilt als „Familienheimfahrt" und wird natürlich auch von der Firma bezahlt.

Rosalind setzt sich auf Babsis Schreibtischecke und fragt: „Kommen Sie übernächsten Freitagabend auch ins Bergschlösschen?"
„Was soll ich im Bergschlösschen?" erwidert Babsi. „Ist da irgendwas?"
„Nun, Mr. Mc'Lean und Mr. Smith laden doch ein! Alle Manager der ersten und zweiten Ebene nebst Ehefrauen sollen kommen – sozusagen zum Abschied und auch als Dank für die gute Zusammenarbeit."
„Na, ich bin ja kein Manager. Also habe ich dort wohl auch nichts zu suchen."
„Aber ich bin ja auch dort", sagt Rosalind eifrig, „und ich hätte Sie so gerne dabei, Barbara. Ich werde das Herrn Smith sagen, er wird Sie sicher noch einladen!"
„Ach nein, ich mag das nicht", wehrt Babsi ab. „Das Bergschlösschen ist ja auch so weit weg und abgelegen, wie soll ich da hinkommen? Wenn's wenigstens im Königshof wäre ..."
„Aber das ist doch kein Problem! Wir können Sie im Auto mitnehmen."
„Nein, wirklich, es ist sehr nett von Ihnen, Rosalind, aber ich möchte da nicht hin. Was soll das überhaupt heißen, 'zum Abschied'?"
„Ja, Barbara, das wissen Sie auch noch nicht. Mr. Smith und ich sind von der GWFO zurückbeordert worden – wir gehen Ende März nach Amerika! Sorry – ich werde mich sehr bald auch von Ihnen verabschieden müssen!"
„Dann haben wir ja keinen Controller mehr", sagt Babsi nachdenklich. „Kommt denn dafür ein anderer?"
„Das weiß ich nicht. Ich weiß nur, dass unsere Aufgabe hier jetzt erfüllt ist. Und dass die amerikanische Kommission im April nochmals kommen wird."
„Hm. – Schade, dass Sie fortgehen! – Freuen Sie sich denn darauf, wieder heimzukehren nach Amerika?"
„Oh, gewiss, wir waren jetzt doch recht lange von zu Hause fort! Aber es tut mir auch leid, Barbara, es war eine schöne

Zeit hier. Ich finde, dieses Land ist sehr schön – ich kann jetzt sehr gut verstehen, warum meine Mutter immer Heimweh nach Deutschland hatte! Und irgendwann werde ich auch wiederkommen. Und wenn Sie einmal nach Amerika kommen sollten, dann müssen Sie mich besuchen. Wir werden miteinander in Kontakt bleiben, nicht wahr?"
„Gewiss!" nickt Babsi. Sie weiß selbst nicht, warum sie dieser nahende Abschied mit einer unbestimmten Bangigkeit erfüllt.

* * * *

Wenn die Weichen erst einmal gestellt sind, dann rollen die Räder sehr schnell und unaufhaltsam in eine bestimmte Richtung. Alle im Hause fühlen, dass irgendetwas in der Luft liegt. Immer wieder wird Babsi von ängstlichen Leuten gefragt, ob es „etwas Neues" gäbe. Man denkt, weil sie im Personalsekretariat sitzt, weiß sie mehr als die anderen. Aber auch sie weiß nichts. Sie hat nur inzwischen erfahren, dass auch der Quality-Manager gekündigt hat. Das große Top-Management hat sich nach knapp vier Jahren fast in nichts aufgelöst ...

Ostern ist vorbei, und die ernst dreinblickenden amerikanischen Herren sind wieder ins Haus gekommen. Tagelang wird hinter verschlossenen Türen konferiert. Gegen Ende der Besprechungen wird der Betriebsrat dazugerufen.
Babsi blickt dem Personnel-Manager gespannt entgegen, als er nach fünf Sitzungstagen ins Personalsekretariat kommt.
Klaus Fröhlich wirkt müde und überanstrengt, sagt aber mit gespielter Munterkeit:
„So, der nächste Sozialplan ist fällig!"
„Welche Abteilung muss denn jetzt daran glauben?" fragt Babsi niedergeschlagen.
Klaus Fröhlich sieht sie eine Weile mit zusammengepressten Lippen an, dann öffnet er den Mund und sagt langsam und laut: „Alle!"
„Nein! – Das kann nicht wahr sein!" Babsi ist blass geworden.

Er lässt sich schwer auf einen Stuhl fallen, stützt das Gesicht in die Hände und sagt:
„Offen gestanden hatte ich mit dieser letzten Konsequenz nicht gerechnet. Aber je länger das Meeting dauerte, desto mehr bekam ich das Gefühl, dass das alles schon vorprogrammiert war – mindestens von dem Zeitpunkt an, als der Mc'Lean zu uns kam. Der wurde jetzt – natürlich durch die

Blume – direkt gelobt, weil er es in der relativ kurzen Zeit geschafft hat. Es war im Grunde völlig zwecklos, überhaupt noch etwas zu sagen oder gar Vorschläge zur Erhaltung des Unternehmens machen zu wollen – die Sache ist gelaufen. Das gesamte Werk wird stillgelegt. Teile der Produktion, soweit sie noch rentabel erscheinen, werden von europäischen Schwesterfirmen übernommen. Der Operations-Manager geht übrigens in die Fabrik in Italien, er hat die Ehre, beim Konzern bleiben zu dürfen."
„Und was wird mit Ihnen und – mit mir?"
„Ich? – Das wollte ich Ihnen schon länger sagen, Fräulein Hollmann. Ich habe einen fertigen Vertrag in der Tasche als Personaldirektor in einem Münchener Unternehmen. Sobald ich hier abkömmlich bin, werde ich dort anfangen. – Und Sie? Man will dort noch eine Sekretärin für mich einstellen. Fräulein Hollmann, ich habe hier sehr gerne und gut mit Ihnen zusammengearbeitet – wollen Sie nicht mitkommen?"
Babsi blickt ihn mit großen Augen an.
„Ich nach München? Aber nein, das ist doch so weit weg!"
„Warum denn nicht? Sind Sie hier irgendwie gebunden? München ist eine sehr schöne und interessante Stadt, man nennt sie die 'Weltstadt mit Herz'! Und ich könnte Ihnen gute, ja sogar sehr gute Bedingungen versprechen!"
Babsi schüttelt langsam den Kopf.
„Nein", sagt sie, „ich danke Ihnen für das Angebot, aber ich möchte es nicht annehmen. Es hat mir schon einmal hier im Hause ein Herr die Zusammenarbeit angeboten, auf die ich mich dann unheimlich freute ... – aber das hat mit Ihnen natürlich nichts zu tun. Ich möchte lieber irgendwo ganz neu anfangen. Selbst Sie wären irgendwie noch ein Stück aus dieser Firma hier. Und das will ich nicht – ich weiß nicht, ob Sie das verstehen können. Und abgesehen davon, ein bisschen bin ich hier doch auch gebunden ..."
„Schade", sagt Klaus Fröhlich, „aber Sie müssen natürlich wissen, was Sie tun."

„Wie geht es hier jetzt überhaupt weiter?“ fragt Babsi. „Was geschieht denn mit all den Menschen?“

„Nächste Woche wird wieder eine außerordentliche Betriebsversammlung sein. Dann wird den Mitarbeitern mitgeteilt, dass wir dicht machen und die Produktion bis spätestens 30. Juni auslaufen wird, soweit sie nicht schon vorher verlagert wurde. Wir, Fräulein Hollmann, werden hier nochmals wahnsinnig viel Arbeit bekommen. Für jeden Mitarbeiter muss ein Aufhebungsvertrag geschrieben werden, mit der Abfindungssumme, die sich für ihn aus dem Sozialplan ergibt. Die Amerikaner legen hierfür nochmals eine ordentliche Summe auf den Tisch. Sie lassen sich die Schließung wirklich etwas kosten! Die Arbeitsverhältnisse werden alle zum jeweiligen Kündigungstermin beendet – das ist wichtig, damit den Leuten die Abfindung erhalten bleibt und nicht etwa das Arbeitslosengeld damit verrechnet wird. – Na ja, und dann müssen wir, die Personalleitung, noch jede Menge Zeugnisse schreiben. Die Personalakten und alle anderen Unterlagen, die zunächst noch aufgehoben werden müssen, werden am Ende verpackt und kommen in die Zentrale der EFU in Mailand. Tja, und dann wird es hier sehr, sehr still werden!“

* * * *

Es ist wirklich unheimlich still geworden in den Räumen der früheren Feinkostwerke Fritz Baumann GmbH. Wenn Babsi durch die Gänge des Bürogebäudes geht, dann hallen ihre Schritte. Sie befindet sich in einem toten Unternehmen. Alle Maschinen stehen still, das große Tor, durch das früher die Lastwagen ein – und ausfuhren, ist fest verriegelt. Nur ein kleiner Nebeneingang ist noch geöffnet, durch den Babsi früh den menschenleeren Hof betritt, um in das stille Bürohaus zu gehen, denn auch der Haupteingang ist verschlossen. Kein Schreibmaschinengeklapper ist zu hören, keine Stimmen, kein Telefonläuten – nichts. Außer Babsi kommt nur noch bisweilen der Lohn- und Gehaltsbuchhalter Jennemann ins Haus, um die letzten Abrechnungen fertigzumachen.

Im Mai hatte Babsi die letzten Aufhebungsverträge geschrieben, auch ihren eigenen. Bis dahin war General Manager Roger Mc'Lean noch im Hause gewesen. Das Unterschreiben dieser Verträge war seine letzte Amtshandlung, bevor er nach Amerika zurückkehrte. Seine Mission in diesem Hause war damit erfüllt. Auch Klaus Fröhlich war noch zur Leistung der Unterschriften dageblieben. Inzwischen ist er bereits in München und ruft Babsi ab und zu mal an. Zum Unterschreiben der Zeugnisse will er nochmals herkommen.
Bis Mitte Juni hatten die letzten Mitarbeiter das Werk verlassen. Jetzt, nach weiteren vier Wochen, ist Babsi dabei, die letzten Zeugnisse zu schreiben. Sobald sie damit fertig ist, kann sie auch zu Hause bleiben, „freigestellt" bis Ende September. Sie beeilt sich jetzt sehr, denn jeder weitere Tag in dem toten Gebäude wird ihr zur Qual.

Es klopft leise an die Tür, und Babsi blickt erstaunt hoch. Sie ist es nicht mehr gewohnt, dass irgendjemand kommt. Die Tür wird geöffnet, und herein kommt Petra – die kleine Petra Weber geborene Müller, immer noch ziemlich dick, aber nicht mehr unförmig, mit frisch gebleichten, blonden Haa-

ren, Kaugummi kauend und lachend. Auf dem Arm trägt sie ein kräftiges Baby, sehr niedlich angezogen, mit blondem Köpfchen und einem runden Gesicht, aus dem zwei große blaue Augen sehr erstaunt blicken.
„Hallo, Babsi!“ ruft Petra. „Menschenskind, das ist ja unheimlich hier! Fürchtest du dich nicht, so allein in dem stillen Haus?“
„Ein wenig schon“, lächelt Babsi. Entzückt betrachtet sie das kleine Kind.
„Mein Sohn!“ sagt Petra stolz. „Ist er nicht ein feiner Kerl?“
„Er ist einfach süß! – Wie heißt er denn?“
„Udo!“
Jetzt muss Babsi lachen.
„Hast du dabei an unseren schönen Udo gedacht?“
Petra wird ein wenig rot.
„Eigentlich nicht, oder doch nur ein bisschen. Der Vorschlag kam von Horst, meinem Mann. Der wollte unbedingt einen 'Uwe', weißt du, nach dem Fußballspieler in Hamburg. Und ich habe dann gesagt, dass mir 'Udo' viel besser gefällt, und dem Horst war's schließlich recht! – Ach, der schöne Udo! Ein bisschen waren wir ja alle in ihn verknallt, nicht wahr? Gib's doch zu, Babsi, du warst doch auch scharf auf ihn – oder nicht?“
Jetzt ist Babsi an der Reihe, rot zu werden.
„Ach, das ist ja alles schon so lange her ...“ murmelt sie, und dann geht sie sehr schnell zum Geschäftlichen über.

„Ja, Petra, ich habe dich herbestellt, weil ich dir deinen Aufhebungsvertrag geben muss. Dass hier jetzt alles dicht ist, das weißt du ja und siehst es jetzt auch. Und du kriegst deshalb eine Abfindung, und zwar so viele halbe Monatsgehälter, wie du bei uns Beschäftigungsjahre hattest – also fünf – und nochmals ein volles Monatsgehalt für das Kind. Das sind insgesamt viertausend Mark, die dir netto ausgezahlt werden!“

„Toll!" ruft Petra überwältigt. „Da hab' ich ja wieder Dusel gehabt! Weißt du, dir kann ich es ja im Vertrauen sagen – ich hätte jetzt sowieso gekündigt, ich wäre gar nicht mehr gekommen! Erstens will mein Mann nicht, dass ich arbeiten gehe, solange das Kind noch so klein ist, und meine Schwiegereltern wollen es auch nicht. Und dann, wieder zurück zu dem Ladewig in die Registratur? Nee, nie und nimmermehr! Ja, wenn's noch so gewesen wäre wie früher, als ich mit der Post überall herumlaufen konnte. Das hat doch wenigstens noch Spaß gemacht, und ich konnte mir auch meine Zeit einteilen, wie es mir passte. Aber später dann, den ganzen Tag unter der Fuchtel von dem Ladewig, das war schrecklich! Du weißt nicht, was ich da mitgemacht habe! Der war ja so eklig zu mir. Seine ganze Wut hat er an mir ausgelassen, weil die Hollerweis doch wegen mir gehen musste. Dabei hat mir das doch selbst so furchtbar Leid getan, aber was hätte ich denn tun sollen? Ich konnte doch nicht auf meinen Mutterschutz verzichten, nur damit die Hollerweis bleiben kann!"
„Nein", sagt Babsi, „natürlich konntest du das nicht. Aber du hast dann ja auch sehr viel gefehlt, beim Ladewig, warst alle naselang krank ..."
„Weil ich einfach nicht mehr konnte! Oh, Babsi, das war wirklich eine ganz schreckliche Zeit für mich! Mir war oft hundeelend – in aller Frühe waren meine Füße schon so geschwollen, dass ich kaum mehr in die Schuhe kam! Und überall wurde ich nur beschimpft – hier vom Ladewig, der ständig auf mir herumhackte, zu Hause von den Eltern, weil sie dachten, ich würde mit einem unehelichen Kind sitzen bleiben. Und die Eltern von meinem Mann waren auch furchtbar böse, weil sie doch wollten, dass der Horst nach der Bundeswehr erst noch auf die Technikerschule geht – und nun war das Kind unterwegs. Oh, ich war oft ganz verzweifelt!"
„Aber jetzt ist doch wohl alles besser?"

Petras Augen leuchten auf.
„O ja, jetzt ist alles gut. Mein Horst verdient gut als Maschinenschlosser, und die Schwiegereltern sind jetzt auch sehr nett zu mir. Sie sind ganz verrückt nach dem Kind! Du, der ist übrigens ganz schön schwer ..."
Petra will den Kleinen auf den anderen Arm nehmen, und Babsi streckt die Hände aus.
„Gib ihn doch mir mal ein bisschen ..."
„Na, wenn das gut geht. – Sieh an, der mag dich! Bei manchen Leuten fängt er nämlich an zu schreien, wenn sie ihn nehmen wollen. Aber dich mag er. Guck mal, der interessiert sich für deine Schreibmaschine! – Steht dir übrigens gut, so ein Kind auf dem Schoß! Willst du nicht meinem Beispiel folgen?"
Babsi lacht. „Einstweilen habe ich das noch nicht vor!"
„Na ja", meint Petra, „jedenfalls war es doch eine schöne Zeit hier, als du noch oben mit der Treutel zusammengesessen hast, und ich kam immer mit meinen Mappen! Du, von der Hollerweis hab' ich übrigens gehört, dass die Treutel furchtbar lange arbeitslos gewesen sein soll! Fast ein Jahr lang ist die stempeln gegangen, dann ist sie endlich von ihrem hohen Ross runtergestiegen und hat irgendwo eine Stelle angenommen als ganz gewöhnliche Schreibkraft. Du lieber Himmel, wenn die mal erfährt, dass sie hier eine hohe Abfindung bekommen hätte, wenn sie geblieben wäre, dann wird sie sich ganz schön ärgern! – Ist ja sowieso furchtbar ärgerlich für all die Leute, die vorher schon gingen oder gehen mussten, so ohne alles ...
Übrigens, die Hollerweis hat Glück gehabt. Die hat schon kurz, nachdem sie hier gehen musste, eine viel bessere Stelle gefunden. Und weißt du was? Die Ostendorf, diese eingebildete Ziege, soll in Amerika den O'Connor geheiratet haben! Ist das nicht zum Totlachen?!"

Petra plappert ohne Unterlass. Und Babsi hört gerne zu – es ist schön, dass in diesem Raum überhaupt einmal wieder jemand zu ihr spricht. Schweigend streichelt sie das Kind.
„Was passiert jetzt eigentlich mit all den Gebäuden hier?" fragt Petra. Babsi zuckt die Achseln.
„Keine Ahnung – ich denke, die Amerikaner werden sie verkaufen wollen. Ob sie damit Glück haben, weiß ich nicht, es gibt ja so viele leer stehende Fabriken! Aber immerhin, die Lage hier ist gut, und die Gebäude sind auch gut erhalten ..."
„Ja, wirklich", meint Petra, „eigentlich jammerschade, das alles hier. Ach, und die tolle Einrichtung in der Teppichabteilung! Wer mag das jetzt alles bekommen? – Menschenskind, wie gut könnte ich so ein paar Klubsessel oder sonst was gebrauchen. Wir sind doch noch ganz am Anfang, der Horst und ich. Aber immerhin krieg' ich ja jetzt das Geld, das ist auch eine feine Sache. Mein Horst wird Augen machen! Endlich kann ich mal was zu unserem Hausstand beisteuern. Weißt du, von meinen Eltern hab' ich ja kaum was mitgekriegt!"

Klein-Udo wird unruhig auf Babsis Schoß, und Petra nimmt ihn mit geübtem Griff wieder auf den Arm.
„Der kriegt jetzt langsam Hunger, wir müssen bald gehen. Du, ich kann den übrigens voll stillen, ist das nicht toll? Wie lange musst du denn eigentlich noch in diesem ollen Büro bleiben?"
„Ich hoffe, diese Woche noch fertig zu werden. Dann betrete ich dieses Haus nie mehr!"
„Und was wirst du dann machen?"
„Urlaub", sagt Babsi tief aufatmend, „mindestens vier Wochen lang so richtig Urlaub, im Süden, mit Sonne, Meer und blauem Himmel! Ach, das wird himmlisch!"
„Allein?"
„Nein, natürlich nicht", lacht Babsi, „mein Freund hat jetzt doch auch Semesterferien! Sonst arbeitet er ja in dieser Zeit

immer als Werkstudent, der Arme. Aber dieses Jahr können wir uns den Urlaub leisten, ich kriege von hier doch auch eine Abfindung!"
„Und was wirst du hinterher tun?"
„Tja, dann kommt wieder der graue Alltag! Michael muss weiterstudieren, und ich werde mir schnellstens eine neue Stelle suchen, am liebsten wieder irgendwo in einer Personalabteilung!"
„Waas? – Noch einmal so eine Scheißarbeit?!"
„Ja", sagt Babsi lachend, „noch einmal so eine Scheißarbeit. Weißt du, wenn man einmal im Personalwesen dringesteckt hat, dann lässt es einen nicht mehr los."
„Na, du – ich wüsste was Besseres! Und heiraten willst du nicht?"
„Doch, später, wenn Michael fertig ist mit dem Studium."
„Das hört sich schon besser an. Wie gesagt, Babsi, das Kind auf dem Schoß hat dir sehr gut gestanden! – Also, tschüs denn! Und besuch mich mal ..."
Sie nimmt Klein-Udos Arm, lässt ihn „winke, winke" machen, und dann verlassen beide den Raum und lassen Babsi in ihrer Einsamkeit zurück.
Mit einem Seufzer wendet sich Babsi wieder ihrer Schreibmaschine zu. Aber nun läutet das Telefon. Klaus Fröhlich ist am Apparat.
„Ich könnte mich am Freitag hier freimachen", sagt er, „glauben Sie, dass Sie bis dahin alles fertig haben können zur Unterschrift?"
„Ja", antwortet Babsi, „ich denke schon. Es sind nicht mehr viele Zeugnisse."
„Gut, dann werde ich kommen. – Übrigens, der Betrieb hier ist phänomenal! Wir sind gerade dabei, ein Top-Management aufzubauen! Hätten Sie nicht Lust, mitzumachen? Ich könnte Sie hier so gut gebrauchen, mit all Ihrer Erfahrung ..."

„Nein", sagt Babsi sehr bestimmt, „dazu habe ich keine Lust! – Ein Top-Management war genug für mich!"

ENDE

Im gleichen Verlag erschien von Linda Hoos das Buch

DIE BUNTEN LICHTER MEINER STADT

In dieser Autobiographie schildert die Verfasserin auf lebhafte, humorvolle und nachdenkliche Weise ihre Kindheits- und Jugenderlebnisse in der Zeit von 1929 bis 1945. Es ist ihr damit eine beeindruckende zeitgeschichtliche Dokumentation gelungen.

Zu beziehen in allen Buchhandlungen

ISBN 3-8267-5530-8
Euro 14,40